New Concept CHINESE

总监制：许　琳

监　　制：马箭飞　静　炜　戚德祥

夏建辉　张彤辉　刘　兵　王锦红

顾　　问：[法] 白乐桑　邓守信　[日] 古川裕

[美] 姚道中　[英] 袁博平

审　　定：刘　珣

主　　编：崔永华

副主编：张　健

编　　者：王亚莉　陈维昌　唐琪佳　刘艳芬　唐娟华

英文翻译：孙玉婷

英文审定：余心乐　[美] Andy Bauer

"十二五"国家重点出版物出版规划项目

New Concept Chinese 3

新概念汉语

English Edition 英语版

Textbook 课本

序言

当前，世界各国学习汉语和了解中华文化的热情持续高涨，对汉语教材的内容、形式和质量不断提出更高要求。为此，孔子学院总部加大教材工作力度，诚邀国内外出版机构、学者和教师参与教材编写，努力出版一批汉语教学和中华文化的精品教材与读物，构建国际汉语教学资源体系。

北京语言大学出版社编写了一套汉语教材——《新概念汉语》。这是针对成年学习者设计的，既可以用于课堂教学，又可以用于自学。教材充分考虑了非母语环境下学习汉语的特点，借鉴外国语言教学先进经验，注重语言文化有机结合，展现当代中国生活场景，强调实用性、趣味性和互动性，并配以多种形式的辅助资源，希望外国朋友们从中体验到更多学习汉语的轻松和快乐。

在编写过程中，孔子学院总部暨国家汉办给予了大力支持，并协助北语出版社多次征求并采纳了各国孔子学院一线教师和学习者的意见与建议。经过第一册试用，得到广泛好评。希望《新概念汉语》能成为最受欢迎的国际汉语教材之一，感谢北语出版社同仁们的勇敢探索和辛勤耕耘。

许　琳

孔子学院总部　总干事

中国国家汉办　主　任

Foreword

At present, there is an increasing enthusiasm worldwide for learning the Chinese language and acquainting with Chinese culture, resulting in a higher demand on the content, form and quality of Chinese teaching materials. To meet this demand, the Confucius Institute Headquarters has put more efforts into the development of teaching materials by inviting publishers, scholars and teachers in and outside of China to participate in the compilation and publication of an array of top-quality textbooks and reading materials for the teaching and learning of the Chinese language and culture, striving to build a system of resources for international Chinese education.

As one of the publishers invited, Beijing Language and Culture University Press has developed the textbook series *New Concept Chinese*, which is targeted at adult learners and can be used in classrooms or by self-taught learners. While taking into full account the characteristics of learning Chinese in a non-Chinese speaking environment, learning from advanced language teaching experiences overseas and paying attention to the dynamic combination of language and culture, the series unfolds the real-life scenes in modern China before its users' eyes, emphasizing the qualities of being practical, fun and interactive and it provides various forms of supportive resources to create a more relaxing and enjoyable Chinese learning experience for foreigners.

Hanban (Confucius Institute Headquarters) has provided much support for the compilation of the series and has more than once assisted Beijing Language and Culture University Press in consulting teachers and students at Confucius Institutes in different countries about their opinions and suggestions, many of which have been accepted and integrated. Book 1 has achieved a good reputation after its publication. We hope *New Concept Chinese* will rank among the most popular Chinese teaching materials for international users. Our sincere thanks go to our co-workers in Beijing Language and Culture University Press for their courageous explorations and hard work.

Xu Lin
Chief Executive of the Confucius Institute Headquarters
Director-General of Hanban

使用说明

《新概念汉语》是一套供成年人使用的汉语教材，可以用来自学，也可以在课堂教学中使用。

本教材基于汉语和汉语作为第二语言教学的实践和研究成果，学习、吸收国内外外语教学的有效方法和21世纪的教学理念和教学实践，选择实用、简要、有趣的教学内容，设计简便、有效的学习和教授方法，努力为不同类型的汉语学习者和教师提供方便。

本教材配有相应的教学资源，包括MP3光盘（包含课文、生词、练习录音）、练习册、汉字练习册、教师用书、教学图卡、数字资源（提供教学资源和咨询）等。

本书是《新概念汉语》第三册。为方便读者，特作如下说明。

一、教学对象、目标、内容和教学安排

教学对象：学过《新概念汉语》（第一、二册）或具有相应汉语水平（学过汉语基本语法、掌握900左右汉语词汇）的成人汉语学习者。

教学目标：通过学习本教材，达到新HSK4级水平，进一步培养汉语听、读、说、写能力，重点是培养初步的成段表达能力。能理解与日常生活和工作相关的以及在一般交际场合中遇到的基本语言材料。能就熟悉的话题与他人进行沟通和交流，能对与这些话题相关的基本情况作简单描述。与《欧洲语言共同参考框架》的B2级外语运用水平大致相当。

教学内容：本册教材教授579个汉语交际常用词、303个汉字、40个语法项目，以及外国人使用汉语学习、生活、工作时最常见的话题。

教学安排：本册教材共20课，建议每课学习时间为4小时，课堂教学教授2小时，课外学习（包括复习和完成练习册中的作业）2小时。

二、课本内容

每课的学习内容由“课文”、“学习语法”、“学习词汇和汉字”、“交际活动”四部分组成。

（1）课文。课文都是适合学习者水平的短文，包括故事、趣闻、百科和中国文化知识等，目的是让学习者边理解故事、知识，边学习汉语词语、语法和相关的表达方法。

（2）学习语法。每课学习两个语法点。目的是让学习者在学习常用的、有交际价值的语句的同时，理解、记忆和学会使用所学语法、句式和常用词汇。

（3）学习词汇和汉字。这一部分通过多种活动帮助学习者复习、记忆和使用汉语常用词汇和汉字，特别是加深对汉语词汇和汉字构成方式的理解。如通过图示、分类，帮助学习者梳理学过的常用词汇；通过分析构词成分，理解汉语构词的规则；通过分析汉字部件，理解汉字的结构和造字方法；通过常用汉字表，帮助学习者掌握基本汉字等。

（4）交际活动。每课安排两种交际活动，供教师和学习者选用。一种是结伴或小组活动，目的是继续培养人际交际能力；一种是独白，目的是培养初步的成段表达能力。

三、教学策略建议

下面的教学过程和方法，供自学者和教师参考。

第一部分　学习课文

1. 热身（5分钟）

热身活动可采取下列方式之一进行：

（1）复习旧课，引出新课。

（2）看图片，根据图片提问，引出课文内容。

问题可以是：这是什么地方？有什么人？有什么东西？发生了什么事情？

（3）就课文题目进行讨论，也可以让学生预测课文的内容。

2. 快速阅读课文（5分钟）

（1）朗读读前问题。

（2）快速阅读，寻找答案。

提醒学生借助生词表和注释，阅读全文，画出与读前问题相关的语句，不要指读（用手指着字读）。

（3）尝试回答读前问题。

答案不必强求一律，可以留点儿悬念，在读懂课文后回答。

3. 学习生词（15分钟）

（1）听生词录音或听教师朗读生词。

（2）跟读（跟录音或教师朗读）。

（3）理解生词。

教师通过提问、领读搭配，启发学生理解词义，辅以必要的讲解。

（4）按顺序集体朗读生词。

（5）认读生词。

教师指定学生打乱生词顺序朗读，注意观察学生的掌握情况。

4. 听课文，回答问题（10分钟）

（1）朗读课文后面的问题。

（2）听全文（提醒学生不看课文）。

（3）回答问题。

（4）分段听课文，回答问题（老师提问，全班回答）。

（5）回答全部问题。

老师提问，单个学生回答，注意把重点放在学生有困难的问题上。

5. 朗读课文（10分钟）

（1）教师分段领读课文。

提醒学生注意课文中新的语法现象，并借助注释初步理解，可辅以必要的讲解。

（2）学生朗读课文。

（3）回答全部问题。

可以让学生提问，先全班回答，再请单个学生回答。

6. 复述课文（5分钟）

（1）根据提示复述课文。

（2）无提示复述课文（或可看英译文本复述）。

第二部分　综合练习

1. 学习语法（20分钟）

每课的两个语法点均可按以下步骤和方式学习：

（1）听全部例句1—2遍。

（2）学生逐句跟读例句，参考生词表理解句意。

（3）学习生词（参考第一部分“3. 学习生词”）

（4）做练习1。

注意引导学生按题目要求标出相关部分。

（5）启发学生归纳出句式的公式。

（6）做练习2。

学生先独立做，然后与同伴核对并修改，最后全班或学生面向全班说答案。

2. 学习词汇和汉字（15分钟）

（1）学生独立做各项练习。

（2）跟同伴核对。

（3）引导全班说出答案。

3. 交际活动（15分钟）

交际活动可在课堂上做，也可以在课下做，课上检查、汇报。

活动 1（小组活动）

（1）朗读指令，理解任务。

（2）教师和/或学生给出示例，启发说出相应的句式、词语。

（3）教师引导分组、分工。

（4）明确汇报要求。

（5）设定活动时限。

（6）小组活动。

（7）小组或小组代表向全班汇报。

（8）学生自我评价和教师评价。

活动 2（独白）

（1）朗读指令，理解任务。

（2）教师自己示例或引导学生示例。

可先启发学生说出相关的句式、词语。如通过连续的问题，告知学生叙述的内容和词语、句式、顺序等。

（3）设定话语长度和准备时限。

（4）提醒学生写下提示词语。

（5）学生准备。

（6）学生分组互相讲述，或由学生向全班汇报。

（7）学生自我评价和教师评价。

4. 归纳本课学习内容

此环节也可放在交际活动前进行。

（1）复述课文。

（2）让学生说出有用的句子，或用图片引导学生说出句子。

（3）让学生朗读生词表，或用图片引出词汇练习中的词语。

四、教学设计思想

本教材在教学过程设计中，力图贯彻以下基本原则：

（1）课堂以学生活动为主，全部过程都是在教师启发、指导下的学生活动。

（2）培养运用汉语进行听、说、读、写综合交际能力，其中“写”的活动主要在学生练习册中进行。

下面对相关部分的设计意图略作说明。

1. 热身

热身活动有三个目的：

（1）在让学生运用汉语描述图片、回答实际问题的过程中，给他们创造自由表达的机会，是“用中学”的重要手段。

（2）激活学生已经具备的相关知识和能力，为学习新内容作准备。

（3）营造生动活泼的学习气氛。

在这个阶段，要给学生创造充分的真实表达机会，“不怕错”很重要。

2. 学习课文

这一部分的教学安排主要基于以下三点考虑：

（1）总体过程是从全局到局部，再从局部到全局。学习从领会全文大意开始，为学习者创造在语境中学习课文的语句、语法、词汇的条件；然后在对局部（各段落）的细节（词汇、句意）理解的基础上，达到全面理解和掌握全文的内容。

（2）由易到难，逐步深入。学习从快速阅读开始，为后面的聆听理解打下基础；聆听后回答问题，逐步熟悉学习内容（文章的意思、语法和词汇）；在快读、聆听和领读的基础上，再朗读课文，为提高朗读质量打下坚实的基础，也使顺利地复述课文水到渠成。

（3）课文学习的目标是学生可以流利地复述课文。这表明他们理解了课文的内容，掌握了所学的语法、句式和词汇。

3. 学习语法

语法教学遵循意义和结构并重、意义优先的原则，学习过程贯穿对意义的关注。

（1）意义优先，是指语法学习的用例和练习，不是为显示语法规则而编造的人工语言，而是有意义、有意思、有交际价值、在交际中经常使用的语句。学习这些句子是为了提高交际能力，而不只是为了学习语法和词汇知识。

（2）语法部分的结构和词语学习过程，是在理解句子意思和学习使用句子交际的基础上，抽象出句子形式，通过思考，促进记忆，掌握使用方法。

（3）通过朗读、分析结构和练习，掌握和熟悉句子的结构形式，努力达到熟练使用的水平。

4. 学习词汇和汉字

词汇和汉字学习的主导思想是立足理解语义和语法结构，促进记忆，如：

（1）通过各种方式，帮助整理学过的词汇。

（2）通过图示，建立与词汇所指的联系；设置相关的应用练习，帮助掌握使用。

（3）通过分析词和汉字的结构，了解汉语构词、造字的基本规则。

在词汇和汉字学习中，有两点需要特别说明：① 由于要显示词汇、汉字的规律、规则，练习中使用的词汇、汉字常常跟课文中出现的字词不完全契合。这虽然不够理想，但也只能“顾此失彼”。② 练习没有严格区分“字”和“语素”的概念，比如说“这些汉字构成的词”，是从汉字运用的角度说的，但也有说明构词法的意思。

5. 交际活动

交际活动的目的，是把本课学习的词汇、语法、话题框架运用到实际交际之中。

两组交际活动都倡导小组活动的方式，在这种活动中，学习者不仅要说出正确的话语，更要学会运用语用规则、交际策略，以提高用汉语进行真实交际的能力。

A Guide to the Use of This Book

New Concept Chinese is a series of Chinese learning materials for adults, which can be used for both self-teaching and classroom teaching.

This series is written based on the practices and researches of Chinese language and teaching Chinese as a second language, assimilating the effective methods used in foreign language teaching both in China and abroad as well as the pedagogical ideas and practices of the 21st century. Practical, concise and interesting teaching materials were selected and simple and effective learning and teaching methods were designed so as to provide convenience for various types of students/learners and teachers of Chinese language.

Additional materials supporting the textbooks include the MP3 disks (with recordings of the texts, new words and exercises), Workbooks, Chinese Character Workbooks, Teacher's Books, Flashcards and Digital Resources (for reference and consultation), etc.

This is Textbook 3 in the series. For the convenience of users, the following points need to be made clear:

1. Targets, objectives, contents and arrangement of teaching

Targets: Adults who have learned *New Concept Chinese* (1 & 2) or have achieved the corresponding Chinese proficiency (mastery of basic Chinese grammar and about 1,000 Chinese words).

Objectives: By learning this book, learners' Chinese proficiency will reach New HSK Level 4. Their listening, reading, speaking and writing skills will be further improved, and more importantly, they will begin to develop the ability to generate paragraphs. They will be able to understand basic language materials that they encounter in their daily life, work and other common social occasions, to communicate and exchange ideas with others on familiar topics and to describe briefly basic situations relevant to these topics. The language proficiency they will achieve is approximately equivalent to Level B2 in the Common European Framework of Reference for Languages.

Contents: This book teaches 579 words frequently used in communication, 303 Chinese characters and 40 grammar items as well as the topics that foreigners are more likely to encounter in their study, life and work.

Arrangement of teaching: This book consists of 20 lessons in total. It is suggested each lesson take 4 hours, 2 in class and 2 after (for reviewing the lesson and doing homework in the Workbook).

2. Contents of the book

Each lesson is composed of four sections, namely "Text", "Grammar", "Vocabulary and Chinese characters", and "Communicative activities".

(1) Text—Taking the learners' language proficiency into consideration, all the texts are short ones, including stories, anecdotes, encyclopedic essays and essays about Chinese culture. The aim is to enable learners to learn Chinese words, grammar and relevant ways of expression while understanding the stories and information.

(2) Grammar—Each lesson teaches two grammar points so that learners can not only learn a few sentences frequently used in communication, but also understand, memorize and learn to use the grammar points, sentence patterns and common words taught to them.

(3) Vocabulary and Chinese characters—This part employs various activities to help learners review, memorize and use common Chinese words and characters and more than others to deepen their understanding of the methods of building Chinese words and characters. For instance, common words are sorted by illustrations and categorization; the constituents of Chinese words are analyzed to help learners understand the rules of Chinese word building and the

components of Chinese characters are analyzed to help learners understand the structures of characters and the methods of building characters; a list of common Chinese characters is provided to help learners master the basic characters, etc.

(4) Communicative activities—Each lesson provides two communicative activities for teachers and students to choose from. One is a pair or group activity aiming to improve students' interpersonal skills, and the other is a monologue aiming to cultivate their ability to express in paragraphs.

3. Suggestions for strategies of teaching

Self-taught learners and teachers can refer to the following steps and methods:

Part 1 Text

a. Warm-up (5 min.)

A warm-up activity can be conducted in one of the following ways:

(1) Review the previous lesson and usher in the new lesson.

(2) Ask (a) question(s) based on the pictures to introduce the content of the text.

Possible questions: Where? Who? What is there? What happened?

(3) Have a discussion about the title of the text and ask students to guess the content of the text.

b. Fast reading (5 min.)

(1) Read out loud the question before the text.

(2) Go through the text fast and find the answer.

Remind the students to make good use of the word list and notes, to read the whole text, to underline the phrases and sentences relevant to the question, and not to point at each character when they read it.

(3) Try to answer the question before the text.

The answers can vary, leaving a cliffhanger which students will find out after understanding the text.

c. Learning new words (15 min.)

(1) Listen to the recording of the new words or to the teacher reading them.

(2) Repeat aloud (after the recording or the teacher).

(3) Understand the new words.

The teacher can inspire the students to understand the meaning of each word by asking questions, leading them to read aloud the collocations and if necessary, giving brief explanations.

(4) All the students read the new words together in order.

(5) Identify and read the new words.

The teacher changes the order of the new words and names a student to read them aloud. Pay attention to if the student has mastered the words.

d. Listen to the text and answer the questions. (10 min.)

(1) Read aloud the questions after the text.

(2) Listen to the whole text (without reading it).

(3) Answer the questions.

(4) Listen to the text paragraph by paragraph and answer the questions. (The teacher asks questions and the class answers them.)

(5) Answer all the questions.

The teacher names one student to answer his/her questions. The teacher should emphasize on the questions which the student finds difficult.

e. Read the text aloud. (10 min.)

(1) The teacher leads the students to read aloud the text paragraph by paragraph.

Remind the students to pay attention to the new grammatical phenomena in the text and to get a preliminary understanding of them with the aid of the notes. Give some explanations if necessary.

(2) The students read the text aloud.

(3) Answer all the questions.

The students raise questions. For each question, the whole class answer it first, and then one student will be named to answer it again.

f. Retell the text. (5 min.)

(1) Retell the text based on the hints given.

(2) Retell the text without any hints (or based on the text in English).

Part 2 Comprehensive Exercises

a. Learning grammar (20 min.)

The two grammar points in each lesson can be learned following the steps and methods below:

(1) Listen to all the example sentences once or twice.

(2) The students read the example sentences one by one after the recording and learn about their meanings with the aid of the word list.

(3) Learn the new words (refer to "**c. Learn the new words**" in Part 1).

(4) Do Exercise 1.

The students are supposed to mark the relevant parts as required under the guidance of the teacher.

(5) The teacher should inspire the students to summarize the formula of each sentence pattern.

(6) Do Exercise 2.

Each student does it alone first, then they work in pairs to check and correct each other's answers, and finally the whole class say the answers or one student says the answers to the whole class.

b. Learning vocabulary and characters (15 min.)

(1) Each student does all the exercises on his/her own.

(2) The students work in pairs to check each other's answers.

(3) The whole class say the answers under the teacher's guidance.

c. Communicative activities (15 min.)

The communicative activities can be conducted either in class or after class in which case a report should be given in class for the teacher to check.

Activity 1 (Group work)

(1) Read the instruction aloud and learn about the task.

(2) The teacher and/or several students give an example to inspire others to say relevant sentence patterns and expressions.

(3) Team up and divide the work under the guidance of the teacher.

(4) Be clear about the requirements for the report.

(5) Set a time limit.

(6) Conduct the activity in groups.

(7) Each group or its representative makes a report to the whole class.

(8) The students make a self-evaluation or the teacher gives them an evaluation.

Activity 2 (Monologue)

(1) Read the instruction aloud and learn about the task.

(2) The teacher gives an example or a student gives one under the teacher's guidance.

First the teacher may inspire the students to say relevant sentence patterns and expressions, for example, telling them the content to be narrated, the words and phrases, sentence patterns and order etc. by asking successive questions.

(3) Set a length for the monologue and a time limit for the preparation.

(4) Remind the students to write down the cue words.

(5) The students make preparations.

(6) The students present their monologues in groups or to the whole class.

(7) The students make a self-evaluation or the teacher gives them an evaluation.

d. Summarize the content learned in the specific lesson.

This step may also precede the communicative activities.

(1) Retell the text.

(2) Ask the students to say useful sentences or inspire them to say the sentences by showing them pictures.

(3) Ask the students to read the word list aloud or introduce the words and expressions in the vocabulary exercises using pictures.

4. Thoughts regarding teaching design

In the design of the teaching process, the book strives to observe the following basic principles:

(1) Classroom teaching is centered on student activities. The whole process is a series of student activities under the inspiration and guidance of the teacher.

(2) The aim of teaching is to improve students' Chinese language skills, including listening, speaking, reading and writing, as well as their communicative skills, of all the learning activities writing is basically done using students' workbooks.

The following is a brief explanation as to why the relevant parts are thus designed.

a. Warm-up

The warm-up activity has three purposes:

(1) To give students an opportunity to express themselves freely in the process of describing pictures and answering practical questions. It is an important method of "learning by using".

(2) To stimulate the knowledge and ability already acquired by the students and to get them ready for the new content.

(3) To create a lively and active environment for learning.

At this stage, enough opportunities need to be created for students to truly express themselves. It is important that students don't fear making mistakes.

b. Learning the text

The teaching of this part is arranged based on the three considerations as below:

(1) The overall process proceeds from the whole to the parts and then from the parts to the whole again. Students start with grasping the main idea of the text, which is a chance for them to learn the sentences, grammar points and new words in the text in context; then based on an understanding of the details (words and sentence meanings) in each part (paragraph), students will fully comprehend and master the content of the whole text.

(2) The difficulty and depth gradually increase. Students start with fast reading, preparing for the listening comprehension following it; then they answer the given questions after listening to the text and become more familiar with the content (the meaning of the text, the grammar points and the new words); after fast reading, listening and repeating after the teacher, students will read the text aloud once again, laying a solid foundation for the improvement in their quality of reading aloud and making themselves better prepared for retelling the text.

(3) The aim of text learning is to enable students to retell the text fluently, which means they've understood the content of the text, mastered the grammar points, sentence patterns and words taught.

c. Learning grammar

The teaching of grammar emphasizes both meaning and structure, with priority given to meaning. Throughout the learning process, attention is paid to meaning.

(1) The priority of meaning means that the examples and exercises for grammar learning are not artificial language fabricated to demonstrate the grammatical rules, but rather meaningful, interesting and practical sentences frequently used in communication. The aim of learning these sentences is to improve communicative abilities rather than just learning the grammar and vocabulary knowledge.

(2) The process of learning the structures and words in the grammar part is to abstract the sentential forms after understanding the meaning of the sentences and learning to use them in communication, to memorize them through thinking and to master the way of using them.

(3) By reading aloud, analyzing and doing exercises on the structures, students will get familiar with and master the sentence structures and strive to achieve proficiency in using them.

d. Learning vocabulary and Chinese characters

The dominant idea regarding the learning of Chinese words and characters is to enhance memorization based on the understanding of meaning and grammatical structure. For instance:

(1) Various means are adopted to help sort out the words that have been learned before.

(2) Illustrations are provided in certain exercises to build up a link with what the words signify; relevant practical exercises are designed to help students master and use the words.

(3) The structures of the words and characters are analyzed to explain the basic rules of building words and characters.

Two points are noteworthy in the learning of Chinese words and characters. Firstly, to show the patterns and rules behind them, the words and characters used in the exercises are often not exactly the same as those used in the text, which is not an ideal situation, but is a better choice for sure. Secondly, the two concepts "字" (character) and "语素" (morpheme) haven't been strictly differentiated in the exercises. Take the phrase "words with these characters" in the direction for example. Although viewing from the angle of the use of Chinese characters, it also implies the meaning of word-building.

e. Communicative activities

The aim of the communicative activities is to help students use the words, grammar points and topic framework learned in the lesson in real-life communication.

Group work is encouraged for both the communicative activities, which reguire students to say correct sentences and more importantly to use the pragmatic rules and communicative strategies in practice so that their ability to communicate in Chinese will be improved.

目录

Lesson 1

Dì yī cì shàng lù

第一次上路

My first time driving on the road

Text 课文

借助生词表，快速浏览课文后回答问题：警察对"我"说了什么？ 01-1

What has the policeman said to "me"? Skim through the text with the help of the list of new words and then answer the question.

Jīntiān wǒ dì yī cì kāi chē shàng lù, jì jǐnzhāng yòu xīngfèn.
今天我第一次开车上路，既紧张又兴奋。

Dàole yí ge lùkǒu, hóngdēng liàng le, wǒ bǎ chē tíngle xialai. Guòle yíhuìr, lǜdēng liàng le, kěshì wǒ de chē xī huǒ le.
到了一个路口，红灯亮了，我把车停了下来。过了一会儿，绿灯亮了，可是我的车熄火了。

Yòu guòle yíhuìr, lǜdēng biànchéngle huángdēng, huángdēng yòu biànchéngle hóngdēng, wǒ de chē háishi dòng bu liǎo.
又过了一会儿，绿灯变成了黄灯，黄灯又变成了红灯，我的车还是动不了。

Zhège shíhou yí wèi jǐngchá zǒu guolai, shuō: "Xiǎojie, nǐ hái méiyǒu děngdào nǐ xǐhuan de yánsè ma?"
这个时候一位警察走过来，说："小姐，你还没有等到你喜欢的颜色吗？"

Answer the questions 回答问题

1. Jīntiān "wǒ" de xīnqíng zěnmeyàng? Wèi shénme?
   今天"我"的心情怎么样？为什么？
2. Dàole lùkǒu zěnme le?
   到了路口怎么了？
3. Lǜdēng liàng le, "wǒ" de chē zěnmeyàng?
   绿灯亮了，"我"的车怎么样？
4. Hónglǜdēng zěnme biànhuà?
   红绿灯怎么变化？
5. "Wǒ" de chē zěnme le?
   "我"的车怎么了？
6. Zhège shíhou, shéi zǒule guolai?
   这个时候，谁走了过来？
7. Jǐngchá shuōle shénme?
   警察说了什么？

2 New words 生词 01-2

1. 上路 shàng lù v. to drive on the road
2. 既……又…… jì …… yòu …… both…and…
   又 yòu adv. *indicating that several conditions or qualities exist at the same time*
3. 紧张 jǐnzhāng adj. nervous
4. 兴奋 xīngfèn adj. excited
5. 灯 dēng n. light, lamp
   红灯 hóngdēng n. red light
   绿灯 lǜdēng n. green light
   黄灯 huángdēng n. yellow light
6. 亮 liàng v. to shine, to lighten
7. 一会儿 yíhuìr num.-cl. a moment, a while
8. 熄火 xī huǒ v. (of an engine, etc.) to stop, to go dead
9. 变成 biànchéng to change into, to turn into
   变 biàn v. to change
   成 chéng v. to become
10. 动不了 dòng bu liǎo cannot move
    动 dòng v. to move
11. 等 děng v. to wait
12. 颜色 yánsè n. color

3 Notes 注释

1. 我既紧张又兴奋。

   The structure "既……又……" indicates that two qualities or states exist at the same time.

2. 又过了一会儿，绿灯变成了黄灯，黄灯又变成了红灯。

   The adverb "又 (again)" indicates the second time an action or a behavior occurs, or rather, occurred.

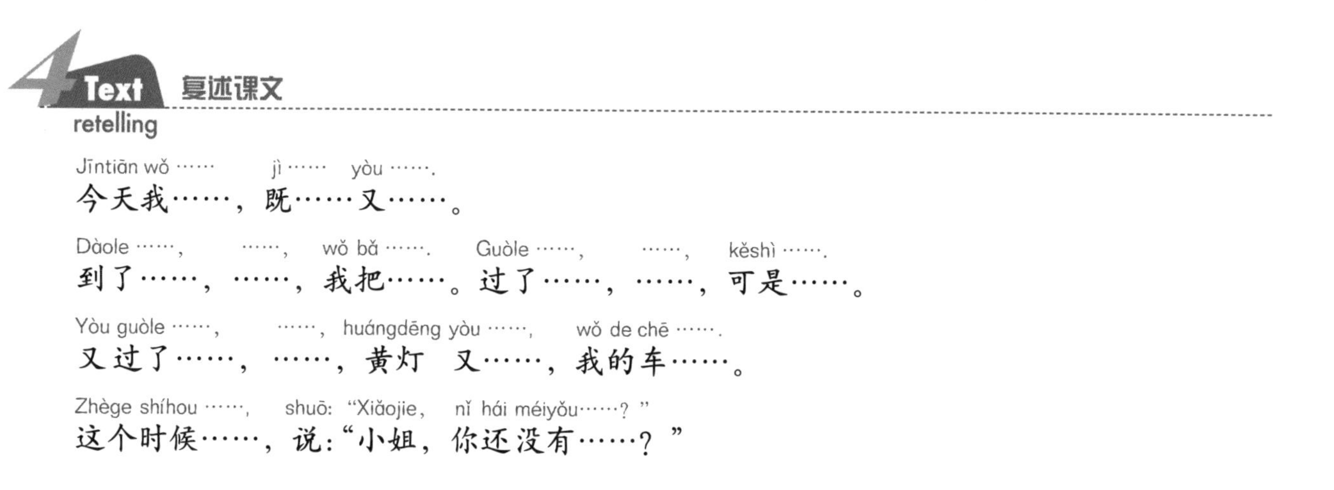

4 Text retelling 复述课文

Jīntiān wǒ …… jì …… yòu …….
今天我……，既……又……。

Dàole ……, ……, wǒ bǎ ……. Guòle ……, ……, kěshì …….
到了……，……，我把……。过了……，……，可是……。

Yòu guòle ……, ……, huángdēng yòu ……, wǒ de chē …….
又过了……，……，黄灯 又……，我的车……。

Zhège shíhou ……, shuō: "Xiǎojie, nǐ hái méiyǒu……? "
这个时候……，说："小姐，你还没有……？"

5 Text in English 译文

Today, I drove on the road for the first time. I was nervous and excited.

At an intersection, I stopped the car as the light turned red. However, when the light turned green, my car stalled.

The light turned yellow and then red again, yet my car still couldn't move.

Just then a policeman came to me and asked "Still waiting for your favorite color, aren't you, young lady?"

6 Grammar 学习语法

（一）既……又…… 01-3

1. 朗读下列句子，画出“既”和“又”后面的词语。Read the sentences aloud and underline the words or phrases after “既” and “又” respectively.

Wǒ jì jǐnzhāng yòu xīngfèn.
（1）我既紧张又兴奋。

Zuò fēijī jì kuài yòu shūfu.
（2）坐飞机既快又舒服。

Ānni jì ài chàng gē, yòu ài tiào wǔ.
（3）安妮既爱唱歌，又爱跳舞。

Zhè háizi wǔ suì, jì huì shuō Hànyǔ, yòu huì shuō Hányǔ.
（4）这孩子5岁，既会说汉语，又会说韩语。

Běijīng jì shì Zhōngguó de zhèngzhì zhōngxīn, yòu shì Zhōngguó de wénhuà zhōngxīn.
（5）北京既是中国的政治中心，又是中国的文化中心。

2. 根据图片和提示词语，用“既……又……”完成句子，然后朗读。Complete the sentences with “既……又……” based on the pictures and cue words. Then read the sentences aloud.

Zhè zhǒng shuǐguǒ jì xīnxian yòu hǎochī.
（1）这种水果既新鲜又好吃。（xīnxian 新鲜 hǎochī 好吃）

Xiànzài de shǒujī
（2）现在的手机________________。（néng 能 dǎ diànhuà 打电话 pāi zhào、shàng wǎng 拍照、上网）

Qí zìxíngchē shàng bān
（3）骑自行车上班________________。（fāngbiàn 方便 duànliàn shēntǐ 锻炼身体）

Ālǐ Dàwèi
（4）阿里__________。大卫__________。（huì 会 chàng jīngjù 唱京剧 shuō xiàngsheng 说相声 bù 不）

Zhè shuāng xié Nà shuāng xié
（5）这双鞋__________。那双鞋__________。（hǎokàn 好看 piányi 便宜 bù 不）

（二）又 01-4

1. 朗读下列句子，画出“又”后面的词语。Read the sentences aloud and underline the words or phrases after “又”.

Guòle yíhuìr, lǜdēng biànchéngle huángdēng, huángdēng yòu biànchéngle hóngdēng.
（1）过了一会儿，绿灯变成了黄灯，黄灯又变成了红灯。

Nàge nǚháir zuótiān lái le, jīntiān yòu lái le.
（2）那个女孩儿昨天来了，今天又来了。

Zhāng jīnglǐ yòu chū chāi le.
（3）张经理又出差了。

Jīnnián shǔjià wǒmen yòu jiàn miàn le.
（4）今年暑假我们又见面了。

Xiǎo Wáng yòu mǎile yì tái diànnǎo.
（5）小王又买了一台电脑。

2. 用“又”完成句子，然后朗读。Complete the sentences with “又”, then read them aloud.

Wǒmen zuótiān kǎoshì le, jīntiān yòu kǎoshì le.
（1）我们昨天考试了，今天又考试了。

Dàwèi qùnián lái Zhōngguó le, jīnnián tā
（2）大卫去年来中国了，今年他________________。

Zhège gùshi nǎinai shàngwǔ jiǎngle yí biàn, xiàwǔ
（3）这个故事奶奶上午讲了一遍，下午________________。

Zuótiān nǐ chídào le, jīntiān nǐ zěnme
（4）昨天你迟到了，今天你怎么________________？

Shàng ge xīngqī xià xuě le, zhège xīngqī
（5）上个星期下雪了，这个星期________________。

Supplementary new words 扩展生词 01-5

1. 爱	ài	v. to love
2. 岁	suì	n. year (of age)
3. 政治	zhèngzhì	n. politics
4. 中心	zhōngxīn	n. center
5. 女孩儿	nǚháir	n. girl
6. 出差	chū chāi	v. to go on a business trip
7. 暑假	shǔjià	n. summer vacation
8. 台	tái	m. *used for a mechanical device or a machine*

Proper noun 专有名词

韩语 Hányǔ Korean (language)

7 Vocabulary and Chinese characters 学习词汇和汉字

1. 朗读下列词语，然后根据意思给它们分类。Read the words aloud and group them according to their meanings.

a. 你 (nǐ) b. 哪些 (nǎxiē) c. 那 (nà) d. 您 (nín) e. 什么 (shénme) f. 这样 (zhèyàng) g. 谁 (shéi) h. 他们 (tāmen)

i. 这 (zhè) j. 怎么 (zěnme) k. 咱们 (zánmen) l. 几 (jǐ) m. 她 (tā) n. 这儿 (zhèr) o. 哪儿 (nǎr)

（1）你 ________ ________ ________ ________

（2）谁 ________ ________ ________ ________ ________

（3）这 ________ ________ ________

2. 用上面的词语说句子。Say some sentences with the words above.

Example：（1）大家好！(Dàjiā hǎo!) （2）他是谁？(Tā shì shéi?) （3）这件衣服怎么样？(Zhè jiàn yīfu zěnmeyàng?)

3. 给下列汉字加拼音并朗读，然后画出各组汉字中笔画不同的地方。Write down the *pinyin* of the characters and read them aloud. Then look at each group or pair of characters and mark the differences in their strokes.

（1）人 (rén) 入 八 （3）儿 几

（2）大 丈 太 （4）牛 午

8 Communicative activities 交际活动

1. 跟同伴分别扮演司机和警察，编一段8－10句的对话。Work in pairs. Play the roles of a driver and a policeman. Make up a conversation with 8 – 10 sentences.

2. 说说你印象最深的第一次做某件事的经历，例如第一次上汉语课、第一次跟中国人谈话等。Talk about the experience of doing something for the first time that impressed you the most. For example, the first time having a Chinese class, or the first time talking to a Chinese person, etc.

Lesson 2

Nín zhǎo wǒ yǒu shìr ma

您找我有事儿吗

Is there anything I can do for you

1 Text 课文 借助生词表，快速浏览课文后回答问题：江日新跟司机吵架了吗？  02-1

Did Jiang Rixin quarrel with the driver? Skim through the text with the help of the list of new words and then answer the question.

Yí liàng gōnggòng qìchē zài mǎlù shang xíngshǐ.
一辆公共汽车在马路上行驶。
Jiāng Rìxīn zuò zài hòumian, dàizhe ěrjī, tīngzhe
江日新坐在后面，戴着耳机，听着
yīnyuè, wàngzhe chuāng wài de fēngjǐng.
音乐，望着窗外的风景。
Tūrán yí ge jíshāchē, Jiāng Rìxīn yíxiàzi
突然一个急刹车，江日新一下子
pūdàole qiánmian, dǎo zài sījī pángbiān.
扑到了前面，倒在司机旁边。

Chē tíngle xialai, tā pá qilai kànzhe sījī.
车停了下来，他爬起来看着司机。
Dàjiā dōu yǐwéi, tā yào gēn sījī chǎo yí jià.
大家都以为，他要跟司机吵一架。
Méi xiǎngdào, Jiāng Rìxīn què xiàole xiào, duì sījī
没想到，江日新却笑了笑，对司机
shuō: "Shīfu, nín zhǎo wǒ yǒu shìr ma?"
说："师傅，您找我有事儿吗？"

Answer the questions

Gōnggòng qìchē zài nǎr xíngshǐ?
1. 公共汽车在哪儿行驶？

Jiāng Rìxīn zuò zài nǎr?
2. 江日新坐在哪儿？

Jiāng Rìxīn zài chē shang zuò shénme?
3. 江日新在车上做什么？

Tūrán fāshēngle shénme shìqing?
4. 突然发生了什么事情？
Jiāng Rìxīn zěnme le?
江日新怎么了？

Chē tíng xialai yǐhòu, Jiāng Rìxīn zuòle shénme?
5. 车停下来以后，江日新做了什么？

Dàjiā yǐwéi Jiāng Rìxīn huì zěnmeyàng?
6. 大家以为江日新会怎么样？

Jiāng Rìxīn duì sījī shuō shénme le?
7. 江日新对司机说什么了？

2 New words 生词 02-2

1. 马路	mǎlù	n.	road
2. 行驶	xíngshǐ	v.	(of a car, bus, train, ship, etc.) to go, to run
3. 戴	dài	v.	to wear
4. 着	zhe	part.	in the process of, in course of
5. 耳机	ěrjī	n.	earphone, headset
6. 望	wàng	v.	to look or gaze into the distance
7. 窗外	chuāng wài		outside the window
8. 风景	fēngjǐng	n.	sight, view, scenery
9. 急刹车	jíshāchē		to brake sharply
10. 一下子	yíxiàzi	adv.	all at once, suddenly
11. 扑	pū	v.	to throw oneself on, to dash at
12. 倒	dǎo	v.	to fall, to tumble down
13. 爬	pá	v.	to stand up, to get up
14. 以为	yǐwéi	v.	to think, to believe
15. 吵架	chǎo jià	v.	to quarrel, to bicker
16. 却	què	adv.	but, however
17. 笑	xiào	v.	to smile, to laugh
18. 对	duì	v.	to face
19. 师傅	shīfu	n.	*a polite form of address for one with accomplished skill*

3 Notes 注释

1. 江日新戴着耳机，听着音乐，望着窗外的风景。

When used after a verb, the particle "着" indicates that the action or state denoted by the verb is now occuring or going on.

2. 没想到，江日新却笑了笑，对司机说："师傅，您找我有事儿吗？"

The adverb "却" indicates the occurrence of a situation is unexpected or contrary to one's expectation.

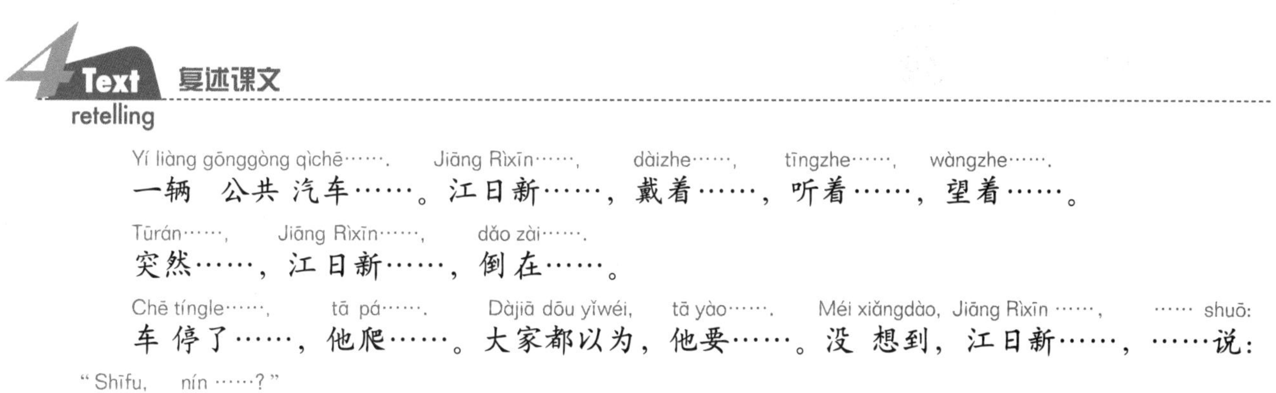

4 Text retelling 复述课文

Yí liàng gōnggòng qìchē……． Jiāng Rìxīn……， dàizhe……， tīngzhe……， wàngzhe……．
一辆 公共 汽车……。江日新……，戴着……，听着……，望着……。

Tūrán……， Jiāng Rìxīn……， dǎo zài……．
突然……，江日新……，倒在……。

Chē tíngle……， tā pá……． Dàjiā dōu yǐwéi， tā yào……． Méi xiǎngdào， Jiāng Rìxīn……， …… shuō:
车停了……，他爬……。大家都以为，他要……。没想到，江日新……，……说：

"Shīfu， nín ……？"
"师傅，您……？"

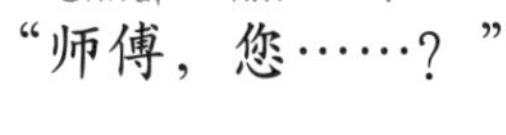

5 Text in English 译文

Jiang Rixin was sitting at the back of a bus moving along the rood, enjoying the music coming from his earphones and the views outside the window.

Suddenly the bus was braked sharply and Jiang Rixin was thrown to the front and fell down beside the driver.

The bus stopped. Jiang Rixin stood up and stared at the driver. Everyone thought he would have a fight with the driver. However, Jiang Rixin smiled and asked the driver: "Master (Mr. Driver), are you looking for me? Is there anything I can do for you?"

（一）“v.+着”1 02-3

1. **朗读下列句子，画出“着”前面的动词。** Read the sentences aloud and underline the verbs before “着”.

（1）Jiāng Rìxīn tīngzhe yīnyuè, wàngzhe chuāng wài de fēngjǐng.
江日新听着音乐，望着窗外的风景。

（2）Wǎnfàn hòu, yéye yìzhí zuò zài shāfā shang hēzhe chá, dúzhe bàozhǐ.
晚饭后，爷爷一直坐在沙发上喝着茶，读着报纸。

（3）Bàba hé gēge xīngfèn de liáozhe nà chǎng zúqiú bǐsài.
爸爸和哥哥兴奋地聊着那场足球比赛。

（4）Jiāng Rìxīn dàizhe ěrjī……
江日新戴着耳机……

（5）Wáng Fāngfāng dàizhe yì tiáo zhēnzhū xiàngliàn, hěn piàoliang.
王方方戴着一条珍珠项链，很漂亮。

（6）Xiǎo Lǐ chuānzhe bái chènshān, jìzhe hóng lǐngdài, jiǎo shang què chuānzhe yì shuāng yùndòngxié.
小李穿着白衬衫，系着红领带，脚上却穿着一双运动鞋。

2. **根据图片和提示词语，用“v.+着”完成句子，然后朗读。** Complete the sentences with “v.+着” based on the pictures and cue words and then read the sentences aloud.

（1）Tā jǐnzhāng de kāizhe chē, yí jù huà yě bù shuō.
他紧张地开着车，一句话也不说。（chē 车）

（2）Wàimian
外面________，________。（fēng 风 xuě 雪）

（3）Lǎo Zhāng kàn shū de shíhou chángcháng
老张看书的时候常常________。（yǎnjìng 眼镜）

（4）Liú nǎinai jīntiān guò shēngrì, tā ________, hěn hǎokàn.
刘奶奶今天过生日，她________，很好看。（qípáo 旗袍）

（二）却 02-4

1. **朗读下列句子，画出“却”前后表示不同意思的部分。** Read the sentences aloud and underline the parts before and after “却” that have contrasting meanings.

（1）Dàjiā dōu yǐwéi, tā yào gēn sījī chǎo yí jià. Méi xiǎngdào, Jiāng Rìxīn què xiàozhe duì sījī shuō: “Shīfu, nín zhǎo wǒ yǒu shìr ma?”
大家都以为，他要跟司机吵一架。没想到，江日新却笑着对司机说：“师傅，您找我有事儿吗？”

（2）Fàng shǔjià le, wǒ xiǎng qù Xī'ān lǚyóu, dìdi què xiǎng qù Shànghǎi.
放暑假了，我想去西安旅游，弟弟却想去上海。

（3）Liú Zǐmíng niánlíng suīrán xiǎo, lìqi què hěn dà.
刘子明年龄虽然小，力气却很大。

（4）Sùliàodài gěi shēnghuó dàiláile fāngbiàn, què pòhuàile huánjìng.
塑料袋给生活带来了方便，却破坏了环境。

（5）Yīnggāi lái de rén méi lái, bù yīnggāi lái de rén què lái le.
应该来的人没来，不应该来的人却来了。

2. **连线成句，然后朗读。** Draw lines to make sentences and then read the sentences aloud.

（1）Wǒ yǐwéi jīntiān huì xià yǔ,
我以为今天会下雨，

（2）Bàba gāng sìshí suì,
爸爸刚40岁，

（3）Lín Mù zhù de zuì yuǎn,
林木住得最远，

tóufa què dōu bái le.
头发却都白了。

méi xiǎngdào què shì ge qíngtiān.
没想到却是个晴天。

què dì-yī ge dào le.
却第一个到了。

Supplementary new words 扩展生词  02-5

1. 后 hòu n. after, afterwards, later
2. 地 de part. *used after an adjective or a phrase to form an adverbial adjunct before a verb*
3. 珍珠 zhēnzhū n. pearl
4. 项链 xiàngliàn n. necklace
5. 系 jì v. to tie, to fasten
6. 领带 lǐngdài n. tie, necktie
7. 年龄 niánlíng n. age
8. 力气 lìqi n. physical strength
9. 塑料袋 sùliàodài n. plastic bag
10. 破坏 pòhuài v. to destroy, to damage
11. 应该 yīnggāi v. should, ought to

7 Vocabulary and Chinese characters 学习词汇和汉字

1. **朗读下列词语，然后为它们选择相应的图片。** Read the words aloud and then write them beside the right pictures.

a. 健身 jiànshēn	b. 爬山 pá shān	c. 射门 shè mén	d. 跳舞 tiào wǔ	e. 游泳 yóu yǒng
f. 踢 tī	g. 跑步 pǎo bù	h. 走路 zǒu lù	i. 扑 pū	

2. **用上面的词语问答。** Ask and answer questions using the words above.

Example：A: 你喜欢什么运动？(Nǐ xǐhuan shénme yùndòng?)　B: 我喜欢游泳。(Wǒ xǐhuan yóu yǒng.)

3. **朗读下列词语，然后根据“下”的意思，给词语分类。** Read the words aloud and then group them according to the meanings of “下”.

a. 下来 xiàlai	b. 下班 xià bān	c. 下山 xià shān	d. 下午 xiàwǔ	e. 一下儿 yíxiàr
f. 零下 líng xià	g. 下楼 xià lóu	h. 下课 xià kè	i. 一下子 yíxiàzi	

（1）下来 ________ ________　　（3）下午 ________

（2）下班 ________　　（4）一下儿 ________

8 Communicative activities 交际活动

1. **四人一组，分别扮演司机、江日新和两位乘客，表演课文内容。** Work in groups of four to play the driver, Jiang Rixin and two other passengers on the bus and act out the text.

2. **说说跟别人发生冲突的时候，你会怎么说、怎么做。** Talk about what you would say and do when you are in conflict with somebody.

Lesson 3

Yí piàn lǜyè
一片绿叶
A green leaf

Text 课文 借助生词表，快速浏览课文后回答问题：女孩儿活了下来吗？

 03-1

Did the girl survive? Skim through the text with the help of the list of new words and then answer the question.

Yǒu ge nǚháir déle zhòng bìng, tā měi tiān wàngzhe chuāng wài de yì kē dà shù.
有个女孩儿得了重病，她每天望着窗外的一棵大树。

Qiūtiān lái le, shùyè yí piànpiàn luòle xialai.
秋天来了，树叶一片片落了下来。

Tā hěn shāngxīn: "Shùyè diàoguāng le, wǒ de shēngmìng yě jiù jiéshù le."
她很伤心："树叶掉光了，我的生命也就结束了。"

Yí wèi lǎo huàjiā zhīdaole nǚháir de xīnsi, juédìng bāngzhù tā, jiù huàle yí piàn lǜyè, guà zài shù shang.
一位老画家知道了女孩儿的心思，决定帮助她，就画了一片绿叶，挂在树上。

Dōngtiān dào le, zhè piàn lǜyè yìzhí liú zài shù shang. Yīnwèi zhè piàn lǜyè, nǚháir qíjì bān de huóle xialai.
冬天到了，这片绿叶一直留在树上。因为这片绿叶，女孩儿奇迹般地活了下来。

Answer the questions 回答问题

1. Nǚháir zěnme le?
女孩儿怎么了？
2. Nǚháir měi tiān zuò shénme?
女孩儿每天做什么？
3. Qiūtiān lái le, shùyè zěnmeyàng?
秋天来了，树叶怎么样？
4. Kànzhe qiūtiān de shùyè, nǚháir zěnme xiǎng?
看着秋天的树叶，女孩儿怎么想？
5. Lǎo huàjiā zhīdao nǚháir de xīnsi hòu zuòle shénme?
老画家知道女孩儿的心思后做了什么？
6. Dōngtiān lái le, nà piàn lǜyè zěnmeyàng?
冬天来了，那片绿叶怎么样？
7. Nǚháir wèi shénme huó xialai le?
女孩儿为什么活下来了？

New words 生词 03-2

1. 得病	dé bìng	v.	to fall ill
2. 重	zhòng	adj.	serious
3. 棵	kē	m.	*usu. used for plants*
4. 树	shù	n.	tree
5. 树叶	shùyè	n.	leaf
6. 片	piàn	m.	(*used for things that are flat and thin*) piece
7. 落	luò	v.	to fall, to drop
8. 伤心	shāngxīn	adj.	sad, grieved
9. 掉	diào	v.	to fall, to drop
10. 光	guāng	adj.	used up, exhausted
11. 生命	shēngmìng	n.	life
12. 结束	jiéshù	v.	to end, to be over
13. 画家	huàjiā	n.	painter, artist
14. 知道	zhīdao	v.	to know
15. 心思	xīnsi	n.	thought, idea
16. 绿叶	lǜyè	n.	green leaf
17. 奇迹	qíjì	n.	miracle
18. 般	bān	part.	as, like same as

3 Notes 注释

1. 秋天来了，树叶一片片落了下来。

"片片", the reduplicate form of the nominal measure word "片", is used before a verb to describe the manner of an action, indicating a one-by-one fashion and a large quantity.

2. 因为这片绿叶，女孩儿奇迹般地活了下来。

The structure "v.+下来" means to make somebody or something stay somewhere or in a certain state by doing something. This is an extended usage of "下来".

Text retelling 复述课文

Yǒu ge nǚhár……, tā měi tiān…….
有个女孩儿……，她每天……。

Qiūtiān lái le, shùyè……. Tā……: "Shùyè……, wǒ de shēngmìng……."
秋天来了，树叶……。她……："树叶……，我的生命……。"

Yí wèi lǎo huàjiā……, juédìng……, jiù……, guà…….
一位老画家……，决定……，就……，挂……。

Dōngtiān dào le, zhè piàn lǜyè……. Yīnwèi……, nǚháir……xialai.
冬天到了，这片绿叶……。因为……，女孩儿……下来。

Text in English 译文

A girl had fallen ill. She watched the big tree outside her window every day.

When fall came, the leaves on the tree began to fall down. "When the last leaf drops, I too will die," she thought sadly.

An old painter knew her worry and decided to help her. He painted a green leaf on the tree.

The winter came and the leaf was still there. Because of this leaf, the girl survived miraculously.

（一）一+重叠量词  03-3

1. **朗读下列句子，画出“一 + 重叠量词”。** Read the sentences aloud and underline the structure “一 + reduplicated measure word”.

Shùyè yí piànpiàn luòle xialai.
（1）树叶一片片落了下来。

Zhǔchírén bǎ jiābīn yí gègè jièshào gěi dàjiā.
（2）主持人把嘉宾一个个介绍给大家。

Xià bān le, tóngshìmen yí gègè dōu zǒu le, bàngōngshì jiù shèngxià wǒ yí ge rén.
（3）下班了，同事们一个个都走了，办公室就剩下我一个人。

Háizimen zuì kāixīn de shìr jiù shì yí jiànjiàn dǎkāi Shèngdàn lǐwù.
（4）孩子们最开心的事儿就是一件件打开圣诞礼物。

Shū yào yì běnběn dú, wénzhāng yào yì piānpiān kàn, shēngcí yào yí gègè jì.
（5）书要一本本读，文章要一篇篇看，生词要一个个记。

2. **根据提示词语，用“一 + 重叠量词”描述图片。** Describe the pictures using “一 + reduplicated measure word” and the words and phrases given.

háizimen pǎochū jiàoshì
（1）孩子们 跑出 教室

Háizimen yí gègè pǎochūle jiàoshì.
孩子们一个个跑出了教室。

lǎoshī de huà jì
（2）老师的话 记

tā de àihào shì yīfu
（3）她的爱好 试 衣服

bàba bǎ kèren sòngzǒu
（4）爸爸 把客人 送走

Xiǎomíng bǎ shū fàngjìn shūbāo li
（5）小明 把书 放进 书包里

（二）v.+下来 03-4

1. **朗读下列句子，画出动词和“下来”。** Read the sentences aloud and underline the verbs and “下来”.

Nǚháir qíjì bān de huóle xialai.
（1）女孩儿奇迹般地活了下来。

Tā bǎ kèhù de dìzhǐ xiěle xialai.
（2）他把客户的地址写了下来。

Wǒ bǎ xiàozhǎng de yǎnjiǎng lùle xialai.
（3）我把校长的演讲录了下来。

Qǐng nǐ bǎ zhège wénjiàn kǎo xialai.
（4）请你把这个文件拷下来。

Xiǎo Wáng fèile jiǔ niú èr hǔ zhī lì, cái bǎ fángzi mǎi xialai.
（5）小王费了九牛二虎之力，才把房子买下来。

2. **用“v. + 下来”组句，然后朗读。** Make sentences with “v.+下来” and then read the sentences aloud.

nǚháir nà piàn shùyè ràng huóle
（1）女孩儿 那片树叶 让 活了

Nà piàn shùyè ràng nǚháir huóle xialai.
那片树叶让女孩儿活了下来。

qīzi nà jiàn dàyī yídìng yào bǎ mǎi
（2）妻子 那件大衣 一定要 把 买

jì zhè jù huà kuài bǎ
（3）记 这句话 快 把

kèwén yì piānpiān bǎ Ānni bèile
（4）课文 一篇篇 把 安妮 背了

nàge fángzi bǎ gōngsī zū juédìng
（5）那个房子 把 公司 租 决定

Supplementary new words 扩展生词 03-5

1. 主持人 zhǔchírén n. host/hostess, anchorman/anchorwoman
2. 嘉宾 jiābīn n. honored guest
3. 介绍 jièshào v. to introduce
4. 剩下 shèngxià to be left, to remain
5. 文章 wénzhāng n. article, essay
6. 地址 dìzhǐ n. address
7. 录 lù v. to record
8. 文件 wénjiàn n. document, file
9. 拷 kǎo v. to copy
10. 费九牛二虎之力 fèi jiǔ niú èr hǔ zhī lì to make tremendous effort

7 Vocabulary and Chinese characters 学习词汇和汉字

1. 朗读下列词语，然后把它们填到相应的位置。Read the words aloud and then put them in the right boxes.

a. 咸 xián　b. 浅 qiǎn　c. 慢 màn　d. 低 dī　e. 瘦 shòu　f. 高 gāo　g. 远 yuǎn　h. 短 duǎn　i. 少 shǎo　j. 热 rè　k. 大 dà

dà 大	duō 多		shēn 深		cháng 长		kuài 快		féi 肥
xiǎo 小		ǎi 矮		jìn 近		dàn 淡		lěng 冷	

2. 用上面的词语问答。Ask and answer questions using the words above.

Example：（1）A: 什么 大？ (Shénme dà?)
B: 西瓜 大。(Xīguā dà.)
（2）A: 什么 小？ (Shénme xiǎo?)
B: 苹果 小。(Píngguǒ xiǎo.)

3. 把下列汉字填在相应的位置构成学过的词，然后朗读。Fill in each blank with the right character to make a word you've learned and then read the words aloud.

a. 院 yuàn　b. 站 zhàn　c. 馆 guǎn

（1）电影 diànyǐng 院 yuàn　（2）地铁 dìtiě ______　（3）医 yī ______　（4）剧 jù ______

（5）图书 túshū ______　（6）体育 tǐyù ______　（7）火车 huǒchē ______

8 Communicative activities 交际活动

1. 跟同伴分别扮演女孩儿和画家，并根据故事的发展，说说他们的想法。Work in pairs to play the girl and the painter and talk about their thoughts as the story progresses.

2. 说一件你的家人或朋友做过的让你感动的事情。Describe one thing your family or friend did that moved you.

Lesson 4

Yǐngzi
影子
The shadow

Text 课文 借助生词表，快速浏览课文后回答问题：李大朋认识小男孩儿吗？  04-1

Did Li Dapeng know the little boy? Skim through the text with the help of the list of new words and then answer the question.

Lǐ Dàpéng shì yí wèi zhōngxué tǐyù lǎoshī, tā de shēncái yòu gāo yòu dà.
李大朋是一位中学体育老师，他的身材又高又大。

Yí ge xiàtiān de zhōngwǔ, tiānqì fēicháng rè. Lǐ Dàpéng xià kè yǐhòu, juéde yòu kě yòu lèi, jiù qù chāoshì mǎi kuàngquánshuǐ.
一个夏天的中午，天气非常热。李大朋下课以后，觉得又渴又累，就去超市买矿泉水。

Lǐ Dàpéng zǒu zài bànlù shang, tūrán fāxiàn yí ge xiǎo nánháir yìzhí gēnzhe tā. Tā gǎndào hěn qíguài, wèn: "Xiǎopéngyǒu, nǐ zěnme lǎo gēnzhe wǒ ya?" Xiǎo nánháir shuō: "Tài rè le, wǒ juéde zài nǐ de yǐngzi xiàmian liángkuai."
李大朋走在半路上，突然发现一个小男孩儿一直跟着他。他感到很奇怪，问："小朋友，你怎么老跟着我呀？"小男孩儿说："太热了，我觉得在你的影子下面凉快。"

Answer the questions 回答问题

1. Lǐ Dàpéng shì zuò shénme de?
   李大朋是做什么的？
2. Lǐ Dàpéng de shēncái zěnmeyàng?
   李大朋的身材怎么样？
3. Nàge xiàtiān de zhōngwǔ tiānqì zěnmeyàng?
   那个夏天的中午天气怎么样？
4. Lǐ Dàpéng xià kè yǐhòu yào qù zuò shénme?
   李大朋下课以后要去做什么？
5. Zǒu zài bànlù shang, Lǐ Dàpéng fāxiànle shénme?
   走在半路上，李大朋发现了什么？
6. Lǐ Dàpéng wèn xiǎo nánháir shénme?
   李大朋问小男孩儿什么？
7. Xiǎo nánháir wèi shénme gēnzhe Lǐ Dàpéng?
   小男孩儿为什么跟着李大朋？

New words 生词 04-2

1.	中学	zhōngxué	n.	middle school, high school
2.	体育	tǐyù	n.	PE (physical education)
3.	以后	yǐhòu	n.	after, afterwards, later
4.	渴	kě	adj.	thirsty
5.	矿泉水	kuàngquánshuǐ	n.	mineral water
6.	半路	bànlù	n.	halfway, on the way
7.	发现	fāxiàn	v.	to find, to discover
8.	男孩儿	nánháir	n.	boy
9.	跟	gēn	v.	to follow
10.	感到	gǎndào	v.	to feel
11.	奇怪	qíguài	adj.	strange, odd
12.	小朋友	xiǎopéngyǒu	n.	*term of address used by an adult to a child*
13.	老	lǎo	adv.	always, all a long
14.	呀	ya	part.	*variant of the particle "啊"*
15.	影子	yǐngzi	n.	shadow
16.	凉快	liángkuai	adj.	cool, not hot

3 Notes 注释

1. 他的身材又高又大。

The structure "又……又……" (both…and…) indicates that two qualities exist at the same time.

2. 一个小男孩儿一直跟着他。

The adverb "一直" (continuously) indicates that an action or a state goes on without interruption.

Text retelling 复述课文

Lǐ Dàpéng shì……, tā de shēncái…….
李大朋是……，他的身材……。

Yí ge xiàtiān de zhōngwǔ,……. Lǐ Dàpéng…… yǐhòu, juéde……, jiù qù…….
一个夏天的中午，……。李大朋……以后，觉得……，就去……。

Lǐ Dàpéng……, tūrán fāxiàn……. Tā gǎndào……, wèn: "Xiǎopéngyǒu, nǐ……?". Xiǎo nánháir shuō: "……, wǒ juéde……."
李大朋……，突然发现……。他感到……，问："小朋友，你……？"小男孩儿说："……，我觉得……。"

Text in English 译文

Li Dapeng is a middle school PE teacher who is very tall and strong.

One summer noon, it was very hot. Li Dapeng felt thirsty and tired after class, so he went to buy some mineral water.

On his way to the supermarket, he found a little boy following him all the way. Feeling it was a bit weird, he asked "Hey, boy! Why are you following me?" "It's too hot, but I feel cool in your shadow." answered the little boy.

（一）又……又……  04-3

1. 朗读下列句子，画出“又”后面的词语。Read the sentences aloud and underline the words or phrases after “又”.

Tā de shēncái yòu gāo yòu dà.
（1）他的身材又高又大。

Zhè yí kè de shēngcí yòu duō yòu nán.
（2）这一课的生词又多又难。

Zhè zhǒng shuǐguǒ yòu guì yòu bù hǎochī.
（3）这种水果又贵又不好吃。

Zài shāmò li zǒule yì tiān, tāmen yòu lèi yòu kě yòu è.
（4）在沙漠里走了一天，他们又累又渴又饿。

Zhè zhǒng gōngzuò yòu kǔ yòu lèi yòu wúliáo.
（5）这种工作又苦又累又无聊。

2. 根据图片和提示词语，用“又……又……”完成句子，然后朗读。Complete the sentences with “又……又……” based on the pictures and cue words and then read the sentences aloud.

1 
2 
3 

4 
5 

Zhè zhǒng qìchē yòu xiǎo yòu shūfu.
（1）这种汽车又小又舒服。（qìchē 汽车 xiǎo 小 shūfu 舒服）

Zhège bīnguǎn de fángjiān
（2）这个宾馆的房间________________。（kuānchang 宽敞 ānjìng 安静）

Zhè dǐng màozi
（3）这顶帽子________________。（piàoliang 漂亮 piányi 便宜）

Liú mìshū zuò shì
（4）刘秘书做事________________。（kuài 快 hǎo 好）

Xiǎo nǚháir ________ de zuò zài mén wàibian.
（5）小女孩儿________地坐在门外边。（lěng 冷 è 饿）

（二）一直 04-4

1. 朗读下列句子，画出“一直”后面的动词或形容词。Read the sentences aloud and underline the verbs or adjectives after “一直”.

Xiǎo nánháir yìzhí gēnzhe tā.
（1）小男孩儿一直跟着他。

Zhège chāoshì de shēngyi yìzhí hěn hǎo.
（2）这个超市的生意一直很好。

Ālǐ yìzhí xiǎng xué Zhōngguó gōngfu.
（3）阿里一直想学中国功夫。

Zuótiān wǎnshang nǐ de diànhuà wèi shénme yìzhí zhàn xiàn?
（4）昨天晚上你的电话为什么一直占线？

Zhèxiē nián, wǒmen yìzhí zài xúnzhǎo jiějué huánjìng wèntí de fāngfǎ.
（5）这些年，我们一直在寻找解决环境问题的方法。

2. 用“一直”组句，然后朗读。Make sentences with “一直” and then read the sentences aloud.

shēnghuó zài Běijīng Yú Wénlè
（1）生活 在北京 于文乐

Yú Wénlè yìzhí shēnghuó zài Běijīng.
于文乐一直生活在北京。

lǜshī dìdi xiǎng dāng
（2）律师 弟弟 想当

zhège xīngqī zài xià yǔ Shànghǎi
（3）这个星期 在下雨 上海

wǒ tā zuìjìn méi kànjiàn
（4）我 他 最近 没看见

bù zhīdào wǒ zhèr kāfēiguǎnr yǒu ge
（5）不知道 我 这儿 咖啡馆儿 有个

Supplementary new words 扩展生词

04-5

1. 难 nán adj. difficult
2. 贵 guì adj. expensive
3. 沙漠 shāmò n. desert
4. 饿 è adj. hungry
5. 苦 kǔ adj. bitter, hard, painstaking
6. 无聊 wúliáo adj. boring
7. 生意 shēngyi n. business, trade
8. 功夫 gōngfu n. kung fu, martial arts
9. 占线 zhàn xiàn v. the line is busy or engaged
10. 这些 zhèxiē pron. these
11. 寻找 xúnzhǎo v. to look for, to seek
12. 解决 jiějué v. to solve

7 Vocabulary and Chinese characters 学习词汇和汉字

1. 朗读下列词语，然后把它们填到相应的位置。Read the words aloud and then put them in the right boxes.

a. 整齐 zhěngqí　b. 便宜 piányi　c. 干净 gānjìng　d. 饿 è　e. 快乐 kuàilè　f. 坏 huài　g. 辛苦 xīnkǔ　h. 错 cuò　i. 早 zǎo　j. 旧 jiù

hǎo 好		xīn 新		bǎo 饱		shūfu 舒服		duì 对	
huài 坏	zāng 脏		luàn 乱		guì 贵		shāngxīn 伤心		wǎn 晚

2. 用上面的词语问答。Ask and answer questions using the words above.

Example：（1）A: 谁好？(Shéi hǎo?)
B: 警察好。(Jǐngchá hǎo.)
（2）A: 谁坏？(Shéi huài?)
B: 小偷坏。(Xiǎotōu huài.)

3. 朗读下列常用汉字，并组词。Read the common characters below and make words with them.

04-6

de 的	yī 一	shì 是	bù 不	le/liǎo 了	zài 在	rén 人	yǒu 有	wǒ 我	tā 他
zhè 这	gè 个	men 们	zhōng 中	lái 来	shàng 上	dà 大	wéi/wèi 为	hé 和	guó 国
de/dì 地	dào 到	yǐ 以	shuō 说	shí 时	yào 要	jiù 就	chū 出	huì/kuài 会	kě 可
yě 也	nǐ 你	duì 对	shēng 生	néng 能	ér 而	zǐ 子	nà 那	dé/de/děi 得	yú 于
zháo/zhe/zhuó 着	xià 下	zì 自	zhī 之	nián 年	guò 过	fā/fà 发	hòu 后	zuò 作	lǐ 里

8 Communicative activities 交际活动

1. 跟同伴分别扮演李大朋和小男孩儿，编一段8－10句的对话。Work in pairs to play Li Dapeng and the little boy. Make up a conversation with 8－10 sentences.

2. 说一件你小时候做过的记忆深刻的事情。Describe something you did when you were a kid that you remember well.

Lesson 5

Huà xiàng
画像
Painting a portrait

Text 课文 借助生词表，快速浏览课文后回答问题：年轻人请求科学家什么？ 05-1

What did the young painter ask of the scientist? Skim through the text with the help of the list of new words and then answer the question.

Yǒu yí wèi kēxuéjiā cónglái bú ràng rén wèi zìjǐ huà xiàng. Dànshì yǒu yí cì, tā gǎibiànle tàidu.
有一位科学家从来不让人为自己画像。但是有一次，他改变了态度。

Yǒu yì tiān, yí wèi niánqīng de huàjiā qǐngqiú wèi tā huà xiàng, kēxuéjiā shuō: "Duìbuqǐ, wǒ méiyǒu shíjiān." "Xiānsheng, wǒ fēicháng xūyào mài zhè fú huàr de qián!" Niánqīngrén chéngkěn de shuō.
有一天，一位年轻的画家请求为他画像，科学家说："对不起，我没有时间。""先生，我非常需要卖这幅画儿的钱！"年轻人诚恳地说。

"Ò, nà jiù shì lìngwài yì huí shì le."
"哦，那就是另外一回事了。"

Kēxuéjiā mǎshàng zuòle xialai, wēixiàozhe shuō: "Niánqīngrén, kāishǐ ba."
科学家马上坐了下来，微笑着说："年轻人，开始吧。"

Answer the questions 回答问题

1. Nà wèi kēxuéjiā bù xǐhuan shénme?
   那位科学家不喜欢什么？
2. Yǒu yí cì, tā zěnmeyàng?
   有一次，他怎么样？
3. Niánqīngrén qǐngqiú zuò shénme?
   年轻人请求做什么？
4. Kēxuéjiā zěnme shuō?
   科学家怎么说？
5. Niánqīngrén yòu zěnme qǐngqiú?
   年轻人又怎么请求？
6. Zuìhòu, kēxuéjiā shuōle shénme? Zuòle shénme?
   最后，科学家说了什么？做了什么？

New words 生 词 05-2

1. 科学家 kēxuéjiā n. scientist
2. 从来 cónglái adv. always, all the time
3. 让 ràng v. to let, to allow
4. 为 wèi prep. for
5. 自己 zìjǐ pron. oneself
6. 画像 huà xiàng v. to draw or paint a portrait
7. 有 yǒu v. *used in a general sense, similiar to "some, certain"*
8. 改变 gǎibiàn v. to change
9. 态度 tàidu n. attitude
10. 请求 qǐngqiú v. to ask, to request
11. 幅 fú m. *used for cloth, pictures, scrolls, etc.*
12. 诚恳 chéngkěn adj. sincere, earnest
13. 另外 lìngwài pron. another, other
14. 回 huí m. *used to indicate the frequency of occurrence*
15. 微笑 wēixiào v. to smile

Notes 注 释

1. 有一位科学家从来不让人为自己画像。

The adverb "从来", means "all along", "from the past to the present", usually used in negative sentences.

2. 有一位科学家从来不让人为自己画像。

The noun or pronoun following the preposition "为" is usually the recipient that benefits from the action denoted by the verb.

Text retelling 复述课文

Yǒu yí wèi kēxuéjiā cónglái……. Dànshì ……, tā…….
有一位科学家从来……。但是……，他……。

Yǒu yì tiān, yí wèi niánqīng de……, kēxuéjiā shuō: "……, wǒ……." "Xiānsheng, wǒ……!"
有一天，一位年轻的……，科学家说："……，我……。""先生，我……！"

Niánqīngrén……shuō.
年轻人……说。

"Ò, nà jiù shì……"
"哦，那就是……"

Kēxuéjiā mǎshàng……, ……shuō: "Niánqīngrén, ……."
科学家马上……，……说："年轻人，……。"

Text in English 译 文

There was a scientist who never allowed anybody to paint his portrait. But one time he changed his attitude.

One day, a young artist came to the scientist and asked to paint a portrait of him. The scientist refused him saying he didn't have time. The young man said sincerely, "But, sir, I really need the money I will get from selling the painting!"

"Well, that's a different case."

The scientist sat down immediately. "Let's begin, young man." He said with a smile.

6 Grammar 学习语法

（一）从来  05-3

1. 朗读下列句子，画出“从来”后面的词语。 Read the sentences aloud and underline the phrases after “从来”.

Yǒu yí wèi kēxuéjiā cónglái bú ràng rén wèi zìjǐ huà xiàng.
（1）有一位科学家从来不让人为自己画像。

Wǒ cónglái bú zài wǎng shang gòuwù.
（2）我从来不在网上购物。

Lǐ Lán xìnggé hěn hǎo, tā cónglái bù shēng qì.
（3）李兰性格很好，她从来不生气。

Zhè jiàn shì wǒ cónglái méi tīngshuōguo.
（4）这件事我从来没听说过。

Shíyàn shībàile hěn duō cì, dàn tā cónglái méi xiǎngguo fàngqì.
（5）实验失败了很多次，但他从来没想过放弃。

2. 用“从来”组句，然后朗读。 Make sentences with “从来” and then read the sentences aloud.

shōushi fángjiān zhàngfu bù
（1）收拾 房间 丈夫 不

Zhàngfu cónglái bù shōushi fángjiān.
丈夫从来不收拾房间。

méi Hángzhōu qùguo Lǎo Lǐ
（2）没 杭州 去过 老李

xiàguo xuě Hǎinán méi
（3）下过雪 海南 没

wǒ méi zhège rén jiànguo
（4）我 没 这个人 见过

hē bú fàng táng kāfēi Xiǎo Sūn
（5）喝 不放糖 咖啡 小孙

（二）为 05-4

1. 朗读下列句子，画出“为”后面的词语。 Read the sentences aloud and underline the phrases after “为”.

Yǒu yí wèi kēxuéjiā cónglái bú ràng rén wèi zìjǐ huà xiàng.
（1）有一位科学家从来不让人为自己画像。

Wǎnhuì shang, tā wèi dàjiā biǎoyǎnle yí ge jiémù.
（2）晚会上，他为大家表演了一个节目。

Ràng wǒmen wèi yùndòngyuán jiā yóu!
（3）让我们为运动员加油！

Qǐng nín wèi wǒmen pāi zhāng héyǐng hǎo ma?
（4）请您为我们拍张合影好吗？

Míngtiān shì yéye de shēngrì, wǒ wèi tā zhǔnbèi le yí fèn shēngrì lǐwù.
（5）明天是爷爷的生日，我为他准备了一份生日礼物。

2. 根据图片，用“为”完成句子，然后朗读。 Complete the sentences with “为” based on the pictures and then read the sentences aloud.

1

2

3

4

5

Lǎo huàjiā wèi nǚháir huàle yí piàn lǜyè.
（1）老画家为女孩儿画了一片绿叶。

Xiàozhǎng
（2）校长________________。

Cānjiā wǎnhuì qián, jiějie
（3）参加晚会前，姐姐________________。

Fúwùyuán
（4）服务员________________。

Liú mìshū
（5）刘秘书________________。

Supplementary new words 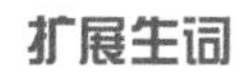  05-5

1. 性格	xìnggé	n.	character trait, personality	6. 晚会	wǎnhuì	n.	evening party
2. 听说	tīngshuō	v.	to hear of, to be told	7. 表演	biǎoyǎn	v.	to perform, to act
3. 实验	shíyàn	n.	experiment	8. 加油	jiā yóu	v.	to cheer (sb.) on
4. 失败	shībài	v.	to fail	9. 合影	héyǐng	n.	group photo
5. 放弃	fàngqì	v.	to give up	10. 份	fèn	m.	share, portion, part

Vocabulary and Chinese characters 学习词汇和汉字

1. 朗读下列词语，然后为它们选择相应的图片。Read the words aloud and then write them beside the right pictures.

bàozhǐ a. 报纸	cídiǎn b. 词典	zázhì c. 杂志	zhàopiàn d. 照片	zhōngguóhuà e. 中国画
zìdiǎn f. 字典	shū g. 书	piào h. 票	hùzhào i. 护照	huàxiàng j. 画像

2. 在上面的名词前面加上动词。Match each of the nouns above with a verb.

Example：kàn bàozhǐ 看 报纸

3. 朗读下列词语，然后根据"学"的意思给词语分类。Read the words aloud and then group them according to the meanings of "学".

xuéxiào a. 学校	xuésheng b. 学生	shàng xué c. 上 学	shùxué d. 数学	zhōngxué e. 中学
xuéxí f. 学习	kēxué g. 科学	liú xué h. 留学	dàxué i. 大学	tóngxué j. 同学

（1）学校 ________ ________ ________

（2）学习 ________ ________ ________

（3）科学 ________

Communicative activities 交际活动

1. 跟同伴分别扮演科学家和画家，模拟课文中的场景，编一段8－10句的对话。Work in pairs to play the scientist and the painter. Make up a conversation with 8－10 sentences based on the scene in the text.

2. 说说你最不喜欢做的事情以及原因。Talk about the thing you dislike to do the most and explain the reasons why.

Lesson 6

Xiǎng kū jiù kū ba

想哭就哭吧

Cry if you want to

Text 课文

借助生词表，快速浏览课文后回答问题：为什么女人的平均寿命比男人长？ 06-1

Why do women live longer than men on average? Skim through the text with the help of the list of new words and then answer the question.

Nǚrén de píngjūn shòumìng bǐ nánrén cháng, ài kū yě shì yí ge yuányīn.
女人的平均寿命比男人长，爱哭也是一个原因。

Rén zài shāngxīn de shíhou, shēntǐ li huì chǎnshēng yìxiē yǒu hài wùzhì, yǎnlèi kěyǐ qīngchú zhèxiē wùzhì.
人在伤心的时候，身体里会产生一些有害物质，眼泪可以清除这些物质。

Shāngxīn de shíhou, rúguǒ rěnzhe bù kū, shēntǐ li de yǒu hài wùzhì bù néng bèi qīngchú, jiù huì yǐngxiǎng shēntǐ jiànkāng.
伤心的时候，如果忍着不哭，身体里的有害物质不能被清除，就会影响身体健康。

Suǒyǐ, shāngxīn de shíhou, xiǎng kū jiù kū ba.
所以，伤心的时候，想哭就哭吧。

Búguò, kū zuìhǎo bú yào chāoguò shíwǔ fēnzhōng, shíjiān tài cháng, fǎn'ér duì shēntǐ bù hǎo.
不过，哭最好不要超过 15 分钟，时间太长，反而对身体不好。

Answer the questions 回答问题

1. Nǚrén de píngjūn shòumìng bǐ nánrén cháng de yuányīn yǒu shénme?
   女人的平均寿命比男人长的原因有什么？
2. Rén shāngxīn de shíhou, shēntǐ li huì chǎnshēng shénme?
   人伤心的时候，身体里会产生什么？
3. Liú yǎnlèi yǒu shénme hǎochù?
   流眼泪有什么好处？
4. Rěnzhe bù kū, huì zěnmeyàng?
   忍着不哭，会怎么样？
5. Shāngxīn de shíhou, wǒmen yīnggāi zěnme zuò?
   伤心的时候，我们应该怎么做？
6. Kū duō cháng shíjiān bǐjiào héshì? Wèi shénme?
   哭多长时间比较合适？为什么？

New words 生词 06-2

1. 女人	nǚrén	n.	woman
2. 平均	píngjūn	v.	average
3. 寿命	shòumìng	n.	lifespan, lifetime
4. 男人	nánrén	n.	man
5. 哭	kū	v.	to cry, to shed tears
6. 原因	yuányīn	n.	reason, cause
7. 产生	chǎnshēng	v.	to produce, to engender
8. 一些	yìxiē	num.-cl.	some
9. 有害	yǒu hài		harmful
10. 物质	wùzhì	n.	substance, matter
11. 眼泪	yǎnlèi	n.	tear
12. 清除	qīngchú	v.	to eliminate, to clear away
13. 忍	rěn	v.	to bear, to endure, to tolerate
14. 影响	yǐngxiǎng	v.	to affect, to influence
15. 健康	jiànkāng	n.	health
16. 最好	zuìhǎo	adv.	had better
17. 超过	chāoguò	v.	to surpass, to exceed
18. 反而	fǎn'ér	adv.	on the contrary, instead

3 Notes 注释

1. 伤心的时候，想哭就哭吧。

“想 v. 就 v.” means to do what one feels like doing.

2. 哭最好不要超过15分钟，时间太长，反而对身体不好。

The conjunction “反而” indicates something contrary to common sense or expectation.

Text retelling 复述课文

Nǚrén de píngjūn shòumìng……, ài kū…….
女人的平均寿命……，爱哭……。

Rén zài…… de shíhou, shēntǐ li huì chǎnshēng……, yǎnlèi kěyǐ……. Shāngxīn de shíhou, rúguǒ……,
人在……的时候，身体里会产生……，眼泪可以……。伤心的时候，如果……，

shēntǐ li de…… bù néng bèi……, jiù huì…….
身体里的……不能被……，就会……。

Suǒyǐ, ……shíhou, ……. Búguò, kū zuìhǎo bú yào……, shíjiān……, fǎn'ér duì…….
所以，……时候，……。不过，哭最好不要……，时间……，反而对……。

Text in English 译文

One of the reasons why women live longer than men is that women are more apt to cry.

Harmful substances are produced in the body when you are sad, and tears can help eliminate these substances. It is unhealthy to hold back tears when you feel sad, because the harmful substances won't be cleared away.

Therefore, cry if you want to. But remember not to cry for more than 15 minutes, otherwise it will harm your health.

（一）想 v. 就 v.

06-3

1. 朗读下列句子，画出“想”和“就”后面的动词。 Read the sentences aloud and underline the verbs after “想” and “就” respectively.

Shāngxīn de shíhou, xiǎng kū jiù kū ba.
（1）伤心的时候，想哭就哭吧。

Zhè jiàn yīfu hěn shìhé nǐ, xiǎng mǎi jiù mǎi ba.
（2）这件衣服很适合你，想买就买吧。

Dàjiā rúguǒ yǒu bù tóng yìjiàn, xiǎng shuō jiù shuō ba.
（3）大家如果有不同意见，想说就说吧。

Bīngxiāng li yǒu yǐnliào, nǐ xiǎng hē jiù hē ba.
（4）冰箱里有饮料，你想喝就喝吧。

Zhèli shàng wǎng bù shōu fèi, nǐ xiǎng shàng (wǎng) jiù shàng (wǎng) ba.
（5）这里上网不收费，你想上（网）就上（网）吧。

2. 根据图片和提示词语，用“想 v. 就 v.”完成句子，然后朗读。 Complete the sentences with “想 v. 就 v.” based on the pictures and cue words and then read the sentences aloud.

Shíjiān tài wǎn le, xiǎng shuì jiù shuì ba.
（1）时间太晚了，想睡就睡吧。　　（shuì 睡）

Jīntiān wǎnshang dàjiā yào wánr de kāixīn,
（2）今天晚上大家要玩儿得开心，__________，__________。　　（chàng 唱　tiào 跳）

Zhè zhǒng dōngxi Běijīng mǎi bú dào,
（3）这种东西北京买不到，________________。　　（mǎi 买）

Zhuōzi shang yǒu shuǐguǒ, nǐ ... ba.
（4）桌子上有水果，你________________吧。　　（chī 吃）

Kǎo wán shì le, nǐ ... ba.
（5）考完试了，你________________吧。　　（kàn diànyǐng 看电影）

（二）反而

06-4

1. 朗读下列句子，画出“反而”前后两部分内容。 Read the sentences aloud and underline the two parts before and after “反而”.

Kū de shíjiān tài cháng, fǎn'ér duì shēntǐ bù hǎo.
（1）哭的时间太长，反而对身体不好。

Sūn jīnglǐ zuò shēngyi méi zhuàn qián, fǎn'ér péi qián le.
（2）孙经理做生意没赚钱，反而赔钱了。

Fángjià gāo le, fǎn'ér mài de gèng kuài le.
（3）房价高了，反而卖得更快了。

Bówùguǎn de ménpiào guì le, cānguān de rén fǎn'ér duō le.
（4）博物馆的门票贵了，参观的人反而多了。

Chīle zhè zhǒng yào, tā de gǎnmào búdàn méi hǎo, fǎn'ér gèng yánzhòng le.
（5）吃了这种药，他的感冒不但没好，反而更严重了。

2. 连线成句，然后朗读。 Draw lines to make sentences and then read the sentences aloud.

Wǎnshang jiǔ diǎn le, jiē shang de rén méiyǒu shǎo, （1）晚上九点了，街上的人没有少，	fǎn'ér gèng shòu le. 反而更瘦了。
Wáng Fāngfāng zhù de zuì yuǎn, （2）王方方住得最远，	fǎn'ér gèng dà le. 反而更大了。
Fēng búdàn méi tíng, （3）风不但没停，	fǎn'ér pǎo de zuì kuài. 反而跑得最快。
Dàwèi gèzi zuì xiǎo, （4）大卫个子最小，	fǎn'ér duō le. 反而多了。
Tā zuìjìn chī de hěn duō, （5）他最近吃得很多，	fǎn'ér dì-yī ge dào le. 反而第一个到了。

Supplementary new words 扩展生词

06-5

1. 适合 shìhé v. to suit, to fit				6. 赔钱 péi qián v. to lose money, to suffer a financial loss		
2. 意见 yìjiàn n. view, opinion				7. 房价 fángjià n. housing price		
3. 饮料 yǐnliào n. drink, beverage				8. 门票 ménpiào n. admission ticket		
4. 收费 shōu fèi to collect fees, to charge				9. 不但 búdàn conj. not only		
5. 赚钱 zhuàn qián v. to earn money, to make a profit				10. 严重 yánzhòng adj. serious, severe		

7 Vocabulary and Chinese characters 学习词汇和汉字

1. 朗读下列词语，然后把它们填到图中相应的位置。
Read the words aloud and then write them in the right positions.

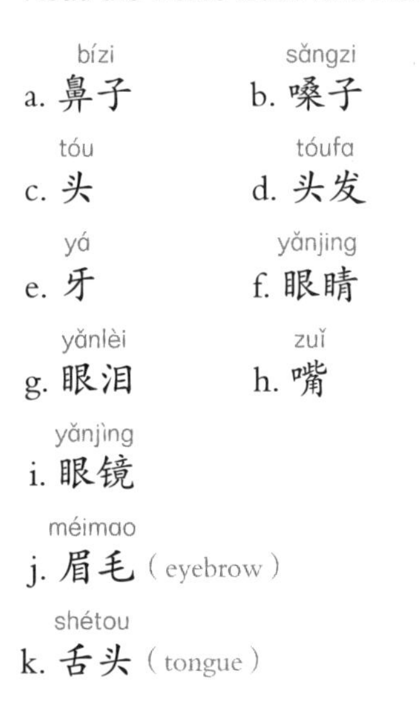

a. 鼻子 (bízi)　b. 嗓子 (sǎngzi)
c. 头 (tóu)　d. 头发 (tóufa)
e. 牙 (yá)　f. 眼睛 (yǎnjing)
g. 眼泪 (yǎnlèi)　h. 嘴 (zuǐ)
i. 眼镜 (yǎnjìng)
j. 眉毛 (méimao)（eyebrow）
k. 舌头 (shétou)（tongue）

2. 在上面的名词前面或后面加上形容词或动词（如“大、小、黑、黄、疼、流”等）。Match each of the nouns above with an adjective or a verb. (For example, “大”, “小”, “黑”, “黄”, “疼”, “流”, etc.)

Example：（1）大鼻子 (dà bízi)　（2）嗓子疼 (sǎngzi téng)

3. 写出下列汉字的拼音并朗读，然后画出各组汉字中不同的部分。Write down the *pinyin* of the characters and read them aloud. Then look at each group or pair of characters and mark their differences.

（1）决 (jué)　块　快　　（3）因　困

（2）休　体　　（4）近　进

8 Communicative activities 交际活动

1. 三人一组，分别扮演男人、女人和科学家，说说对哭的看法。Work in groups of three to play a man, a woman and a scientist. Exchange your opinions on crying.

2. 说说男女解压方式的差异。Talk about the differences between men and women in their methods of relieving stress.

Lesson 7

Zhàopiàn shì wǒ zhào de

照片是我照的

It's me who took the picture

Text 课文 借助生词表，快速浏览课文后回答问题：谁捡到了小张的照相机？  07-1

Who found Xiao Zhang's camera? Skim through the text with the help of the list of new words and then answer the question.

Jīntiān, Xiǎo Zhāng qù yì jiā shāngdiàn mǎi dōngxi, huídào jiā cái fāxiàn bǎ zhàoxiàngjī là zài nàr le, yúshì jiù gǎnjǐn gěi shāngdiàn dǎ diànhuà. Diànzhǔ shuō, yǒu rén jiǎndàole zhàoxiàngjī, ràng tā gǎnkuài qù qǔ.

今天，小张去一家商店买东西，回到家才发现把照相机落在那儿了，于是就赶紧给商店打电话。店主说，有人捡到了照相机，让他赶快去取。

Xiǎo Zhāng qǔhuí zhàoxiàngjī, fāxiàn zhàoxiàngjī li duōle liǎng zhāng zhàopiàn.

小张取回照相机，发现照相机里多了两张照片。

Yì zhāng zhàopiàn shì ge nǚháir, shǒu li jǔzhe yí ge páizi, shàngmian xiězhe: "Zhàoxiàngjī shì wǒ jiǎndào de!"

一张照片是个女孩儿，手里举着一个牌子，上面写着："照相机是我捡到的！"

Lìng yì zhāng zhàopiàn shì ge xiǎohuǒzi, shǒu li yě jǔzhe yí ge páizi, shàngmian xiězhe: "Zhàopiàn shì wǒ zhào de!"

另一张照片是个小伙子，手里也举着一个牌子，上面写着："照片是我照的！"

Answer the questions

回答问题

1. Jīntiān Xiǎo Zhāng qù nǎr le?
   今天小张去哪儿了？
2. Huí jiā yǐhòu, Xiǎo Zhāng fāxiànle shénme?
   回家以后，小张发现了什么？
3. Xiǎo Zhāng gěi shéi dǎ diànhuà?
   小张给谁打电话？
4. Diànzhǔ shuōle shénme?
   店主说了什么？
5. Qǔhuí zhàoxiàngjī hòu, Xiǎo Zhāng yòu fāxiànle shénme?
   取回照相机后，小张又发现了什么？
6. Nǚháir shǒu li jǔzhe shénme? Shàngmian xiězhe shénme?
   女孩儿手里举着什么？上面写着什么？
7. Nánháir shǒu li jǔzhe shénme? Shàngmian xiězhe shénme?
   男孩儿手里举着什么？上面写着什么？

New words 生词 07-2

1. 家	jiā	m.	*used for families or enterprises*
2. 照相机	zhàoxiàngjī	n.	camera
3. 落	là	v.	to leave behind, to forget to bring
4. 于是	yúshì	conj.	hence, therefore
5. 赶紧	gǎnjǐn	adv.	at once, immediately
6. 店主	diànzhǔ	n.	owner of a shop or store
7. 捡	jiǎn	v.	to pick up, to find
8. 赶快	gǎnkuài	adv.	at once, quickly
9. 取	qǔ	v.	to get, to fetch
10. 多	duō	v.	to exceed the original, correct or expected number or amount
11. 举	jǔ	v.	to lift, to raise, to hold up
12. 牌子	páizi	n.	board, sign
13. 另	lìng	pron.	another, other
14. 小伙子	xiǎohuǒzi	n.	young man, lad

3 Notes 注释

1. 回到家才发现把照相机落在那儿了，于是就赶紧给商店打电话。

The adverb “才” shows that the speaker thinks an action happens too late and slow, while the adverb “就” means, on the contrary, an action happens early and fast.

2. （那个女孩儿）手里举着一个牌子。

Here the structure “place + v. + 着 + n.” means somebody or something exists somewhere.

Text retelling 复述课文

Jīntiān, Xiǎo Zhāng……, huídào jiā cái fāxiàn……, yúshì……. Diànzhǔ shuō, yǒu rén……, ràng…….
今天，小张……，回到家才发现……，于是……。店主说，有人……，让……。

Xiǎo Zhāng……, fāxiàn…….
小张……，发现……。

Yì zhāng zhàopiàn……, shǒu li……, shàngmian xiězhe: “……!”
一张照片……，手里……，上面写着：“……！”

Lìng yì zhāng zhàopiàn……, shǒu li yě……, shàngmian xiězhe: “……!”
另一张照片……，手里也……，上面写着：“……！”

Text in English 译文

Today, Xiao Zhang came home from shopping only to find he had left his camera in the store. He called the store immediately. The owner said somebody had found his camera and asked him to come and get it at once.

Xiao Zhang got his camera back and found there were two extra pictures in it.

In one of the pictures, a girl held a board reading “It’s me who found the camera!”

In the other, a young man held a board too, reading “It’s me who took the picture!”

（一）才、就 07-3

1. 朗读下列句子，画出“才”或“就”后面的动词或短语。Read the sentences aloud and underline the verbs or phrases after “才” or “就”.

A. 才

Xiǎo Zhāng huídào jiā cái fāxiàn bǎ zhàoxiàngjī là zài shāngdiàn le.
（1）小张回到家才发现把照相机落在商店了。

Zuótiān Lín Mù jiā bān, shí'èr diǎn cái líkāi gōngsī.
（2）昨天林木加班，十二点才离开公司。

Tā shēng bìng yǐhòu cái zhīdao jiànkāng zuì zhòngyào.
（3）他生病以后才知道健康最重要。

B. 就

Xiǎo Zhāng huídào jiā jiù gǎnjǐn gěi shāngdiàn dǎ diànhuà.
（4）小张回到家就赶紧给商店打电话。

Bié zháojí, yīshēng mǎshàng jiù lái.
（5）别着急，医生马上就来。

Dīng xiānsheng gāng bāndào zhèli jiù rènshile hěn duō línjū.
（6）丁先生刚搬到这里就认识了很多邻居。

2. 选择“才”或“就”填空，然后朗读。Fill in the blanks with “才” or “就” and read the sentences aloud.

Jiàqī gāng kāishǐ Ālǐ jiù qù lǚyóu le.
（1）假期刚开始阿里__就__去旅游了。

Nǐ zěnme zhème wǎn lái?
（2）你怎么这么晚____来？

Gāng dào Shíyīyuè, Běijīng kāishǐ xià xuě le.
（3）刚到11月，北京____开始下雪了。

Wǒmen děngle liǎng ge xiǎoshí, fēijī qǐfēi.
（4）我们等了两个小时，飞机____起飞。

Zǎoshang liù diǎn dìdi qù xuéxiào le.
（5）早上六点弟弟____去学校了。

Dàole huǒchēzhàn, tā xiǎngqǐ wàngle dài huǒchēpiào.
（6）到了火车站，他____想起忘了带火车票。

（二）“v.＋着”2 07-4

1. 朗读下列句子，画出“着”前面的动词。Read the sentences aloud and underline the verbs before “着”.

Nàge nǚháir shǒu li jǔzhe yí ge páizi.
（1）那个女孩儿手里举着一个牌子。

Zhuōzi shang fàngzhe hěn duō zázhì.
（2）桌子上放着很多杂志。

Hēibǎn shang xiězhe hěn duō Zhōngwén jùzi.
（3）黑板上写着很多中文句子。

Nà zuò shān shang zhòngzhe hěn duō píngguǒ shù.
（4）那座山上种着很多苹果树。

Yòu'éryuán ménkǒu tíngzhe hěn duō qìchē.
（5）幼儿园门口停着很多汽车。

2. 根据图片和提示词语，用“v.＋着”完成句子，然后朗读。Complete the sentences with “v. + 着” based on the pictures and cue words and then read the sentences aloud.

1

2

3

4

5

Túshūguǎn wàibian zhòngzhe hěn duō huār.
（1）图书馆外边种着很多花儿。（hěn duō huār 很多花儿）

Fāngfāng shǒu li
（2）方方手里______________。（báisè de shǒujī 白色的手机）

Shù xià
（3）树下______________。（liǎng ge niánqīngrén 两个年轻人）

Qiánmian de páizi shang
（4）前面的牌子上______________。（“xīyān yǒu hài jiànkāng” “吸烟有害健康”）

Bówùguǎn li
（5）博物馆里______________。（hěn duō lìshǐ zhàopiàn 很多历史照片）

Supplementary new words 扩展生词

07-5

1. 加班	jiā bān	v.	to work overtime
2. 离开	líkāi	v.	to leave, to depart from
3. 重要	zhòngyào	adj.	important, significant
4. 别	bié	adv.	don't
5. 着急	zháojí	adj.	to worry, to feel anxious
6. 邻居	línjū	n.	neighbor
7. 黑板	hēibǎn	n.	blackboard
8. 句子	jùzi	n.	sentence
9. 种	zhòng	v.	to plant, to grow
10. 幼儿园	yòu'éryuán	n.	kindergarten
11. 门口	ménkǒu	n.	entrance, gate

7 Vocabulary and Chinese characters 学习词汇和汉字

1. 朗读下列词语，然后把它们填到图中相应的位置。Read the words aloud and then write them in the right positions.

a. 冰箱 bīngxiāng　b. 电视 diànshì　c. 手机 shǒujī　d. 照相机 zhàoxiàngjī　e. 耳机 ěrjī　f. 电脑 diànnǎo　g. 电话 diànhuà

h. 微波炉 wēibōlú（microwave oven）　i. 洗衣机 xǐyījī（washing machine）　j. 空调 kōngtiáo（cair conditioner）

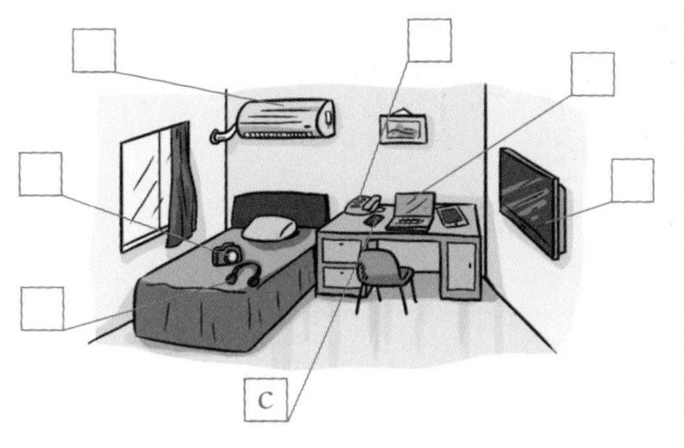

2. 用上面的词语问答。Ask and answer questions using the words above.

Example：A: 电话可以做什么？(Diànhuà kěyǐ zuò shénme?)　B: 可以打电话。(Kěyǐ dǎ diànhuà.)

3. 朗读下列词语，说说各组的共同点。Read the words aloud and talk about the similarities within each group.

（1）咖啡馆儿 kāfēiguǎnr　面条儿 miàntiáor　女孩儿 nǚháir　男孩儿 nánháir

（2）这儿 zhèr　那儿 nàr　哪儿 nǎr

（3）儿子 érzi　女儿 nǚ'ér　幼儿园 yòu'éryuán

8 Communicative activities 交际活动

1. 四人一组，分别扮演小张、店主、照片上的女孩儿和男孩儿，编一段8 – 10句的对话。Work in groups of four to play Xiao Zhang, the shop owner and the girl and the boy in the pictures. Make up a conversation with 8 – 10 sentences.

2. 说说你自己或家人、朋友丢失东西又找回来的经历。Describe an experience in which you, your family member or your friend lost something and then got it back.

Lesson 8

Cǎifǎng
采访
Interviewing Qian Zhongshu

Text 课文 借助生词表，快速浏览课文后回答问题：钱锺书写的小说叫什么名字？

 08-1

What's the title of Qian Zhongshu's novel? Skim through the text with the help of the list of new words and then answer the question.

Qián Zhōngshū shì Zhōngguó zhùmíng de zuòjiā.
钱锺书是中国著名的作家。
Tā de xiǎoshuō《Wéi Chéng》fēicháng yǒumíng, xiě de shì jǐ ge niánqīngrén de gōngzuò、shēnghuó hé hūnyīn de gùshi, diànshìtái bǎ tā gǎibiān chéngle diànshìjù.
他的小说《围城》非常有名，写的是几个年轻人的工作、生活和婚姻的故事，电视台把它改编成了电视剧。
Diànshìjù bōchū hòu, fēicháng shòu huānyíng.
电视剧播出后，非常受欢迎。

Hěn duō jìzhě dōu xiǎng cǎifǎng tā, dànshì dōu bèi tā jùjué le.
很多记者都想采访他，但是都被他拒绝了。
Yí wèi jìzhě wèn tā wèi shénme jùjué cǎifǎng, tā shuō: "Nǐ chīle yí ge hǎochī de jīdàn, yídìng yào rènshi nà zhī shēng dàn de mǔjī ma?"
一位记者问他为什么拒绝采访，他说："你吃了一个好吃的鸡蛋，一定要认识那只生蛋的母鸡吗？"

Answer the questions 回答问题

1. Qián Zhōngshū shì ge shénme rén?
   钱锺书是个什么人？
2. Xiǎoshuō《Wéi Chéng》xiě de shì shénme gùshi?
   小说《围城》写的是什么故事？
3. Diànshìtái bǎ《Wéi Chéng》gǎibiān chéngle shénme?
   电视台把《围城》改编成了什么？
4. Zhè bù diànshìjù zěnmeyàng?
   这部电视剧怎么样？
5. Jìzhěmen xiǎng zuò shénme? Qián Zhōngshū zěnmeyàng?
   记者们想做什么？钱锺书怎么样？
6. Qián Zhōngshū shì zěnme jùjué cǎifǎng de?
   钱锺书是怎么拒绝采访的？

生词 08-2

1.	著名	zhùmíng	adj.	famous, well-known
2.	作家	zuòjiā	n.	writer
3.	小说	xiǎoshuō	n.	story, novel
4.	几	jǐ	num.	several
5.	婚姻	hūnyīn	n.	marriage
6.	改编	gǎibiān	v.	to adapt (a book or play) into (a show, movie, etc.)
7.	电视剧	diànshìjù	n.	TV drama
8.	播出	bōchū	v.	to broadcast, to be on (radio or TV)
9.	受	shòu	v.	to receive, to accept
10.	欢迎	huānyíng	v.	to receive favorably
11.	采访	cǎifǎng	v.	(of a reporter) to interview, to cover
12.	拒绝	jùjué	v.	to refuse, to turn down
13.	只	zhī	m.	*used for certain animals and birds*
14.	生蛋	shēng dàn		to lay eggs
	生	shēng	v.	to give birth to, to bear
15.	母鸡	mǔjī	n.	hen

Proper nouns 专有名词

1.	钱锺书	Qián Zhōngshū	Qian Zhongshu (1910–1998), a Chinese writer
2.	《围城》	Wéi Chéng	*Fortress Besieged*, a novel by Qian Zhongshu

注释

1. 电视台把它改编成了电视剧。

The structure "把＋X＋v.＋成＋Y" means X is turned into Y by an action denoted by v..

2. 一定要认识那只生蛋的母鸡吗？

The adverb "一定" (necessarily) means one is determined to do something or that it is necessary to do something.

复述课文

Qián Zhōngshū……. Tā de xiǎoshuō Wéi Chéng……, xiě de shì…… de gùshi, diànshìtái bǎ tā…….
钱锺书……。他的小说《围城》……，写的是……的故事，电视台把它……。

Diànshìjù……, fēicháng……. Hěn duō……, dànshì dōu…….
电视剧……，非常……。很多……，但是都……。

Yí wèi jìzhě wèn tā……, tā shuō: "Nǐ……, yídìng yào……?"
一位记者问他……，他说："你……，一定要……？"

5 Text in English 译文

Qian Zhongshu was a famous Chinese writer. His novel *Fortress Besieged* is a very famous story about the work, study and marriage of several young people and has been adapted into a television drama.

After the TV drama *Fortress Besieged* came out, it gained great popularity. Many reporters wanted to have an interview with Qian Zhongshu, who however refused them all.

One reporter asked him why he refused and Qian asked him, "Just because you ate a tasty egg, does it mean you have to know the hen who laid it?"

（一）把 + X + v. + 成 + Y 08-3

1. 朗读下列句子，画出X和Y。Read the sentences aloud and underline the parts X and Y.

Diànshìtái bǎ Wéi Chéng gǎibiān chéngle diànshìjù.
（1）电视台把《围 城》改编 成了电视剧。
X Y

Běnjiémíng bǎ "yínháng" niànchéngle "hěn xíng".
（2）本杰明 把"银行" 念成了 "很 行"。

Tā bǎ zhège Yīngwén xiǎoshuō fānyì chéngle Zhōngwén.
（3）他把这个 英文 小说 翻译成了 中文。

Tā bǎ zìjǐ dǎban chéng Shèngdàn Lǎorén, gěi háizimen sòng lǐwù.
（4）他把自己打扮 成 圣诞 老人，给孩子们送礼物。

Lǎoshī xiǎng bǎ tā péiyǎng chéng yí ge yīnyuèjiā.
（5）老师 想 把她培养 成一个音乐家。

2. 根据图片选择词语，用"把 + X + v. + 成 + Y"完成句子，然后朗读。Complete the sentences using the structure "把 + X + v. + 成 + Y" and the right words based on the pictures and then read the sentences aloud.

shuō xiě tīng kàn huàn
a. 说 b. 写 c. 听 d. 看 e. 换

Tā bǎ yīngbàng huànchéngle rénmínbì.
（1）他 把英镑 换成了 人民币 。

Kuàidìyuán
（2）快递员＿＿＿＿＿＿＿＿。

Dàwèi
（3）大卫＿＿＿＿＿＿＿＿。

Fāngfāng
（4）方方＿＿＿＿＿＿＿＿。

Běnjiémíng
（5）本杰明＿＿＿＿＿＿＿＿。

（二）一定 08-4

1. 朗读下列句子，画出"一定"后面的动词或短语。Read the sentences aloud and underline the verbs or phrases after "一定".

Nǐ yídìng yào rènshi nà zhī shēng dàn de mǔjī ma?
（1）你一定要认识那只 生 蛋的母鸡吗？

Jīntiān de gōngzuò wǒ yídìng yào wánchéng.
（2）今天的 工作 我一定要 完成。

Wǒmen yídìng yào bǎohù hǎo zìrán huánjìng.
（3）我们 一定要保护好自然环境。

Xià xuě le, nín yídìng yào màndiǎnr zǒu.
（4）下 雪了，您一定要 慢点儿 走。

Nǐ huí guó de shíhou, wǒ yídìng qù jīchǎng sòng nǐ.
（5）你回国的时候，我一定去机场 送你。

2. 用"一定"组句，然后朗读。Make sentences with "一定" and then read the sentences aloud.

qù wǒ Zhōngguó yào liú xué
（1）去 我 中国 要 留学

Wǒ yídìng yào qù Zhōngguó liú xué.
我 一定要去 中国 留学。

yào jīntiān wǎnshang zǎodiǎnr nǐ shuì
（2）要 今天 晚上 早点儿 你 睡

zhège wǒ diànyǐng kàn yào
（3）这个 我 电影 看 要

Hànyǔ nǐ xué hǎo yào
（4）汉语 你 学好 要

zuòyè míngtiān yào tóngxuémen jiāo
（5）作业 明天 要 同学们 交

Supplementary new words 扩展生词

 08-5

1. 打扮 dǎban v. to dress up, to make up
2. 老人 lǎorén n. old man or woman
3. 念 niàn v. to read aloud
4. 行 xíng adj. able, capable
5. 翻译 fānyì v. to translate
6. 培养 péiyǎng v. to foster, to train, to develop
7. 音乐家 yīnyuèjiā n. musician
8. 完成 wánchéng v. to finish, to complete
9. 保护 bǎohù v. to protect, to safeguard
10. 自然 zìrán n. nature
11. 送 sòng v. to see sb. off or out

Proper noun 专有名词

圣诞老人 Shèngdàn Lǎorén Santa Claus

7 Vocabulary and Chinese characters 学习词汇和汉字

1. 朗读下列词语，然后为它们选择相应的图片。Read the words aloud and then write them beside the right pictures.

chàng gē a. 唱歌	wèn b. 问	huídá c. 回答	tīng d. 听
liáo tiānr e. 聊天儿	yǎnjiǎng f. 演讲	chǎo jià g. 吵架	cǎifǎng h. 采访

2. 用上面的词语问答。Ask and answer questions using the words above.

Example： A: 他（她）在做什么？ (Tā (tā) zài zuò shénme?) B: 他（她）在唱歌。 (Tā (tā) zài chànggē.)

3. 朗读下列常用汉字，并组词。Read the common characters below and make words with them.  08-6

yòng 用	dào 道	háng/xíng 行	suǒ 所	rán 然	jiā 家	zhǒng/zhòng 种	shì 事	chéng 成	fāng 方
duō 多	jīng 经	me 么	qù 去	fǎ 法	xué 学	rú 如	dōu 都	tóng 同	xiàn 现
dāng 当	méi 没	dòng 动	miàn 面	qǐ 起	kàn 看	dìng 定	tiān 天	fēn 分	hái/huán 还
jìn 进	hǎo/hào 好	xiǎo 小	bù 部	qí 其	xiē 些	zhǔ 主	yàng 样	lǐ 理	xīn 心
tā 她	běn 本	qián 前	kāi 开	dàn 但	yīn 因	zhī/zhǐ 只	cóng 从	xiǎng 想	shí 实

8 Communicative activities 交际活动

1. 跟同伴分别扮演钱锺书和记者，模拟电话采访，编一段8－10句的对话。Work in pairs to play Qian Zhongshu and the reporter. Make up a phone interview with 8－10 sentences.

2. 介绍一部你喜欢的由文学作品、神话故事等改编成的电影或电视剧。Introduce a movie or TV play you like which is adapted from a literary work or fairy tale, etc.

Lesson 9

Yuán Lóngpíng

袁隆平

Yuan Longping, Father of Hybrid Rice

Text 课文 借助生词表，快速浏览课文后回答问题：袁隆平是一位什么样的科学家？ 09-1

What kind of a scientist is Yuan Longping? Skim through the text with the help of the list of new words and then answer the question.

Yuán Lóngpíng shì Zhōngguó yí wèi yǒumíng de kēxuéjiā, tā jǐ shí nián rú yí rì de péiyù zájiāo shuǐdào, bèi rénmen chēngzuò "zájiāo shuǐdào zhī fù".

袁隆平是中国一位有名的科学家，他几十年如一日地培育杂交水稻，被人们称作"杂交水稻之父"。

Yī jiǔ qī sān nián, Yuán Lóngpíng péiyù chū de zájiāo shuǐdào mǔchǎnliàng cóng sānbǎi gōngjīn tígāo dào wǔbǎi gōngjīn. Èr líng líng yī nián, mǔchǎnliàng tígāo dào jiǔbǎi èrshíliù gōngjīn.

1973年，袁隆平培育出的杂交水稻亩产量从300公斤提高到500公斤。2001年，亩产量提高到926公斤。

Tā péiyù chū de shuǐdào wèi Zhōngguó zēngchǎnle jǐ yì dūn liángshi, bìng bèi Měiguó、Rìběn děng yìbǎi duō ge guójiā yǐnjìn; měi nián zēng chǎn de liángshi kěyǐ jiějué shìjiè shang sānqiān wǔbǎi wàn rén de chī fàn wèntí.

他培育出的水稻为中国增产了几亿吨粮食，并被美国、日本等100多个国家引进；每年增产的粮食可以解决世界上3500万人的吃饭问题。

Answer the questions 回答问题

1. Yuán Lóngpíng shì shénme rén?
   袁隆平是什么人？
2. Yuán Lóngpíng péiyù zájiāo shuǐdào duōshao nián?
   袁隆平培育杂交水稻多少年？
3. Yuán Lóngpíng bèi rénmen chēngzuò shénme?
   袁隆平被人们称作什么？
4. Yī jiǔ qī sān nián, tā péiyù de shuǐdào mǔchǎnliàng shì duōshao gōngjīn?
   1973年，他培育的水稻亩产量是多少公斤？
5. Èr líng líng yī nián, shuǐdào de mǔchǎnliàng shì duōshao gōngjīn?
   2001年，水稻的亩产量是多少公斤？
6. Tā péiyù chū de shuǐdào zēngchǎnle duōshao liángshi?
   他培育出的水稻增产了多少粮食？
7. Duōshao ge guójiā yǐnjìnle tā péiyù chū de shuǐdào?
   多少个国家引进了他培育出的水稻？
8. Yuán Lóngpíng jiějuéle shénme wèntí?
   袁隆平解决了什么问题？

2 New words 生 词 09-2

1. 几十年如一日 jǐ shí nián rú yí rì for decades
2. 培育 péiyù v. to cultivate, to foster, to breed
3. 杂交水稻 zájiāo shuǐdào hybrid rice
   - 杂交 zájiāo v. to hybridize, to crossbreed
   - 水稻 shuǐdào n. rice
4. 称作 chēngzuò v. to call, to style
5. 之父 zhī fù father of
   - 之 zhī part. *used between the modifier and the word modified*
   - 父 fù n. father
6. 亩产量 mǔchǎnliàng yield per *mu*
   - 亩 mǔ m. *mu*, 1/6 acre
   - 产量 chǎnliàng n. yield, production volume
7. 从 cóng prep. from
8. 提高 tígāo v. to raise, to improve
9. 增产 zēng chǎn v. to increase production
10. 亿 yì num. hundred million
11. 吨 dūn m. tonne, metric ton
12. 粮食 liángshi n. food, grain, cereals
13. 并 bìng conj. and
14. 引进 yǐnjìn v. to introduce from elsewhere, to import
15. 万 wàn num. ten thousand

Proper nouns 专有名词

1. 袁隆平 Yuán Lóngpíng Yuan Longping, a Chinese scientist
2. 日本 Rìběn Japan

3 Notes 注 释

1. 袁隆平培育出的杂交水稻亩产量从300公斤提高到500公斤。

The structure "v. + 出" indicates that a certain result is achieved through the action or behavior denoted by the verb. It is an extended usage of "出".

2. 并被美国、日本等100多个国家引进

The conjunction "并" is used between two verbs or clauses, indicating that two things happen at the same time or one after the other.

4 Text retelling 复述课文

Yuán Lóngpíng shì Zhōngguó yí wèi……, tā…… de…… zájiāo shuǐdào, bèi…… chēngzuò "…… zhī fù".
袁隆平是中国一位……，他……地……杂交水稻，被……称作"……之父"。

Yī jiǔ qī sān nián, Yuán Lóngpíng…… mǔchǎnliàng cóng…… gōngjīn tígāo dào…… gōngjīn. Èr líng líng yī nián, mǔchǎnliàng…… dào…… gōngjīn.
1973年，袁隆平……亩产量从……公斤提高到……公斤。2001年，亩产量……到……公斤。

Tā péiyù chū de shuǐdào wèi…… liángshi, bìng bèi…… yǐnjìn; měi nián…… kěyǐ…… shìjiè shang sānqiān wǔbǎi wàn rén de…….
他培育出的水稻为……粮食，并被……引进；每年……可以……世界上3500万人的……。

5 Text in English 译 文

Yuan Longping is a famous Chinese scientist. He has devoted decades of his life to the development of hybrid rice, thus known as the "Father of Hybrid Rice".

In 1973, the yield of the hybrid rice developed by Yuan Longping increased from 300 kilograms to 500 kilograms per *mu* (1 *mu* ≈ 1/6 acre). In 2001, the yield rose to 926.6 kilograms per *mu*.

Yuan Longping's hybrid rice has contributed an increase of several hundred million tonnes to China's food production and has been introduced to more than 100 countries including the United States and Japan. The annual yield increase solves the problem of feeding 35 million people in the world.

（一）v.+出 09-3

1. 朗读下列句子，画出"出"前面的动词。 Read the sentences aloud and underline the verbs before "出".

Tā péiyù chū de shuǐdào wèi Zhōngguó zēngchǎnle jǐ yì dūn liángshi.
（1）他培育出的水稻为中国增产了几亿吨粮食。

Kèren lái le, māma hěn kuài jiù zuòchūle yì zhuō fēngshèng de cài.
（2）客人来了，妈妈很快就做出了一桌丰盛的菜。

Yào xiěchū yì piān hǎo wénzhāng zhēn bù róngyì.
（3）要写出一篇好文章真不容易。

Lín Mù xiǎngchūle yí ge hǎo zhǔyi.
（4）林木想出了一个好主意。

Tǎolùn de shíhou, dàjiā dōu shuōchūle zìjǐ de kànfǎ.
（5）讨论的时候，大家都说出了自己的看法。

2. 根据提示词语，用"v.+出"描述图片。 Describe the pictures using "v.+出" with the words and phrases given.

1 

2 

3 

4 

5 

cāi Fāngfāng sòng lǐwù de rén
（1）猜 方方 送礼物的人

Fāngfāng cāichūle sòng lǐwù de rén.
方方猜出了送礼物的人。

tā zhǎo fāngfǎ de jiějué wèntí
（2）他 找 方法 的 解决问题

nǐ néng shuō ma zhè jù huà de Zhōngwén yìsi
（3）你 能 说 吗 这句话的 中文意思

yí ge yuè tā jiù yì běn xiǎoshuō xiě
（4）一个月 她 就 一本小说 写

huàjiā kēxuéjiā huà yì fú huàxiàng wèi hěn kuài
（5）画家 科学家 画 一幅画像 为 很快

（二）并 09-4

1. 朗读下列句子，画出"并"前面和后面的词语或分句。 Read the sentences aloud and underline the words or clauses connected by "并".

Tā péiyù chū de shuǐdào wèi Zhōngguó zēngchǎnle jǐ yì dūn liángshi, bìng bèi Měiguó、Rìběn děng yìbǎi duō ge guójiā yǐnjìn.
（1）他培育出的水稻为中国增产了几亿吨粮食，并被美国、日本等100多个国家引进。

Qián Zhōngshū de Wéi Chéng bèi fānyì chéngle hěn duō zhǒng yǔyán, bìng bèi gǎibiān chéngle diànshìjù.
（2）钱锺书的《围城》被翻译成了很多种语言，并被改编成了电视剧。

Wǎngluò yǐngxiǎng bìng gǎibiànle rénmen de shēnghuó.
（3）网络影响并改变了人们的生活。

Zài gōngzuò zhōng, wǒmen yào jíshí fāxiàn bìng jiějué wèntí.
（4）在工作中，我们要及时发现并解决问题。

Wáng Yìróng shì Zhōngguó fāxiàn bìng yánjiū jiǎgǔwén de dì-yī rén.
（5）王懿荣是中国发现并研究甲骨文的第一人。

2. 连线成句，然后朗读。 Draw lines to make sentences and then read the sentences aloud.

Tā xiěle yì piān wénzhāng,
（1）他写了一篇文章，

Tā èr líng yī èr nián dàxué bìyè,
（2）他2012年大学毕业，

Zài zhè cì cǎifǎng zhōng, wǒ xuédàole hěn duō dōngxi,
（3）在这次采访中，我学到了很多东西，

Zhè zhǒng shuǐguǒ shòudào rénmen de xǐhuan,
（4）这种水果受到人们的喜欢，

Tā cānjiāle zhè cì huìyì,
（5）他参加了这次会议，

bìng rènshile hěn duō yǒumíng de rén.
并认识了很多有名的人。

bìng zuòle jīngcǎi de yǎnjiǎng.
并做了精彩的演讲。

bìng bèi hěn duō guójiā yǐnjìn.
并被很多国家引进。

bìng cānjiāle gōngzuò.
并参加了工作。

bìng bǎ tā fānyì chéngle Yīngyǔ.
并把它翻译成了英语。

Supplementary new words 扩展生词

09-5

1. 桌	zhuō	n.	table, desk
2. 丰盛	fēngshèng	adj.	rich, abundant, lavish, sumptuous
3. 容易	róngyì	adj.	easy
4. 主意	zhǔyi	n.	idea, way
5. 看法	kànfǎ	n.	opinion, point of view
6. 语言	yǔyán	n.	language
7. 网络	wǎngluò	n.	network, web
8. 人们	rénmen	n.	people
9. 及时	jíshí	adv.	timely, in time
10. 甲骨文	jiǎgǔwén	n.	oracle bone inscriptions

7 Vocabulary and Chinese characters 学习词汇和汉字

1. 朗读下列词语，然后从小到大排序。Read the words aloud and then put them in ascending order.

líng	qiān	bǎiwàn	bǎi	yì	wàn
零	千	百万	百	亿	万
yī	liǎng	shíwàn	bàn	shí	qiānwàn
一	两	十万	半	十	千万

零 ______ ______ ______ ______ ______

______ ______ ______ ______ ______ ______

2. 读出下列数字。Read the numbers aloud.

（1）159　（2）2468　（3）52741　（4）635210

（5）9235076　（6）82367500　（7）326924000

3. 给下列汉字加拼音并朗读，然后画出各组汉字中笔画不同的地方。Write down the *pinyin* of the characters and read them aloud. Then look at each group or pair of characters and mark the differences in their strokes.

（1）me 么　公　　（3）刀　力

（2）千　干　于　　（4）白　自

8 Communicative activities 交际活动

1. 两人一组，分别扮演袁隆平和记者，编一段8－10句的对话。Work in pairs to play Yuan Longping and a reporter. Make up a conversation with 8 – 10 sentences.

2. 介绍你崇拜的一个成功人士，说说他的成就或贡献。Introduce a successful man/woman you admire and talk about his/her achievements or contributions.

Lesson 10

Xìngfú xiàng zìzhùcān
幸福像自助餐
Happiness is like a buffet

Text 课文 借助生词表，快速浏览课文后回答问题：人们觉得幸福是什么？  10-1

What do people think happiness is? Skim through the text with the help of the list of new words and then answer the question.

Xìngfú jiù xiàng zìzhùcān.
幸福就像自助餐。

Rúguǒ hěn duō rén yìqǐ qù chī zìzhùcān,
如果很多人一起去吃自助餐，

měi ge rén dōu huì gēnjù zìjǐ de àihào xuǎn dōngxi,
每个人都会根据自己的爱好选东西，

bìng gēnjù zìjǐ de fànliàng fàng zài gèzì de pánzi
并根据自己的饭量放在各自的盘子

li, měi ge rén pánzi li de cài dōu shì bù yíyàng de.
里，每个人盘子里的菜都是不一样的。

Xìngfú yě shì zhèyàng, měi ge rén duì xìngfú
幸福也是这样，每个人对幸福

de lǐjiě bù tóng, xūqiú yě bù tóng. Yǒude rén
的理解不同，需求也不同。有的人

zài zìjǐ de pánzi li zhuāngmǎnle qián, yǒude rén
在自己的盘子里装满了钱，有的人

zhuāngmǎnle qínggǎn, yǒude rén zhuāngmǎnle chénggōng
装满了情感，有的人装满了成功

de shìyè……
的事业……

Nǐ de pánzi li zhuāng de shì shénme ne?
你的盘子里装的是什么呢？

Answer the questions 回答问题

1. Xìngfú xiàng shénme?
幸福像什么？
2. Měi ge rén dōu huì ànzhào shénme xuǎn dōngxi?
每个人都会按照什么选东西？
3. Měi ge rén pánzi li de cài zěnmeyàng?
每个人盘子里的菜怎么样？
4. Rénmen duì xìngfú de lǐjiě zěnmeyàng?
人们对幸福的理解怎么样？
5. Wèi shénme shuō xìngfú yě shì zhèyàng?
为什么说幸福也是这样？
6. Rénmen zài zìjǐ de xìngfú pánzi li dōu zhuāngle shénme?
人们在自己的幸福盘子里都装了什么？
7. Nǐ de pánzi li zhuāng de shì shénme ne?
你的盘子里装的是什么呢？

New words 生词 10-2

1. 幸福	xìngfú	n.	happiness	9. 不同	bù tóng		unlike, different
2. 像	xiàng	v.	to be like	10. 需求	xūqiú	n.	need, demand
3. 自助餐	zìzhùcān	n.	buffet	11. 有的	yǒude	pron.	some
4. 根据	gēnjù	v.	according to, based on	12. 装	zhuāng	v.	to fill, to load, to pack
5. 饭量	fànliàng	n.	appetite	13. 满	mǎn	adj.	full, filled
6. 各自	gèzì	pron.	each, individual	14. 情感	qínggǎn	n.	affection, feeling
7. 对	duì	prep.	concerning, regarding	15. 成功	chénggōng	adj.	successful
8. 理解	lǐjiě	v.	to understand	16. 事业	shìyè	n.	career

3 Notes 注释

1. 幸福就像自助餐。

   The verb "像" means two things are similar in certain aspects.

2. 每个人对幸福的理解不同，需求也不同。

   The noun or pronoun following the preposition "对" is the recipient of the action denoted by the verb.

Text retelling 复述课文

Xìngfú jiù xiàng…….
幸福就像……。

Rúguǒ hěn duō rén……, měi ge rén dōu huì gēnjù……, bìng…… fàng zài……, měi ge rén pánzi li de…….
如果很多人……，每个人都会根据……，并……放在……，每个人盘子里的……。

Xìngfú……, měi ge rén duì……, xūqiú yě……. Yǒude rén zài…… zhuāngmǎnle……, yǒude rén……, yǒude rén…….
幸福……，每个人对……，需求也……。有的人在……装满了……，有的人……，有的人……。

Nǐ de…… ne?
你的……呢？

Text in English 译文

Happiness is like a buffet.

At a buffet, people may choose foods in different ways according to their own preferences and appetites, and the food on everyone's plate would be different.

The same is true with happiness. People have different understandings about happiness and want different things in life. Some fill their plates with money, some with love and affection, and others with a successful career, and so on.

What's on your plate?

6 Grammar 学习语法

（一）像 10-3

1. **朗读下列句子，画出“像”前后的词语。** Read the sentences aloud and underline the things connected by “像”.

Xìngfú jiù xiàng zìzhùcān.
（1）幸福就像自助餐。

Shēnghuó jiù xiàng lǚxíng, kěyǐ kàndào gè zhǒng bù tóng de fēngjǐng.
（2）生活就像旅行，可以看到各种不同的风景。

Dú hǎo shū jiù xiàng hē hǎo chá, xūyào mànmàn pǐnwèi.
（3）读好书就像喝好茶，需要慢慢品味。

Méi xiǎngdào, zhè cì bǐsài wǒ huò jiǎng le, zhēn xiàng zuò mèng.
（4）没想到，这次比赛我获奖了，真像做梦。

Wǒmen xīwàng Hànyǔ xiàng yí zuò qiáo, bǎ Zhōngguó hé shìjiè lián zài yìqǐ.
（5）我们希望汉语像一座桥，把中国和世界连在一起。

2. **根据图片选择词语，用“像……”完成句子，然后朗读。** Complete the sentences using “像” and the right words or phrases based on the pictures and then read the sentences aloud.

huó cídiǎn　huāyuán　túshūguǎn　huàr　háizi de liǎn
a. 活词典　b. 花园　c. 图书馆　d. 画儿　e. 孩子的脸

Zhège chéngshì jiù xiàng yí ge dà huāyuán, yǒu hěn duō huār hé shù.
（1）这个城市<u>就像一个大花园</u>，有很多花儿和树。

Wǒmen de Hànyǔ lǎoshī, shénme dōu zhīdao.
（2）我们的汉语老师________，什么都知道。

Zhèli de fēngjǐng, fēicháng piàoliang.
（3）这里的风景________，非常漂亮。

Xiàtiān de tiānqì shuō biàn jiù biàn.
（4）夏天的天气________，说变就变。

Dèng lǎoshī de jiā, shénme shū dōu yǒu.
（5）邓老师的家________，什么书都有。

（二）对 10-4

1. **朗读下列句子，画出“对”后面的名词或代词。** Read the sentences aloud and underline the nouns or pronouns after “对”.

Měi ge rén duì xìngfú de lǐjiě bù tóng, xūqiú yě bù tóng.
（1）每个人对幸福的理解不同，需求也不同。

Guǎnggào duì chǎnpǐn de xiāoshòu hěn yǒu bāngzhù.
（2）广告对产品的销售很有帮助。

Tā duì lìshǐ gǎn xìngqù, wǒ duì dìlǐ gǎn xìngqù.
（3）他对历史感兴趣，我对地理感兴趣。

Xiàozhǎng duì lǎoshīmen de gōngzuò hěn mǎnyì.
（4）校长对老师们的工作很满意。

Wǒmen rènshi de shíjiān bù cháng, wǒ duì tā bú tài liǎojiě.
（5）我们认识的时间不长，我对他不太了解。

2. **用“对”组句，然后朗读。** Make sentences with “对” and then read the sentences aloud.

měi ge rén　dōu bù yíyàng　chénggōng　de lǐjiě
（1）每个人　都不一样　成功　的理解

Měi ge rén duì chénggōng de lǐjiě dōu bù yíyàng.
每个人对成功的理解都不一样。

shǒujī　yǐngxiǎng　hěn dà　rénmen de shēnghuó
（2）手机　影响　很大　人们的生活

zhè cì bǐsài chéngjì　yùndòngyuán　hěn bù mǎnyì
（3）这次比赛成绩　运动员　很不满意

tā shuō de huà　hěn yǒu bāngzhù　wǒ
（4）他说的话　很有帮助　我

yǒu hài　xīyān　jiànkāng
（5）有害　吸烟　健康

Supplementary new words 扩展生词

1. 做梦 zuò mèng v. to dream
2. 旅行 lǚxíng v. to travel, to journey
3. 慢慢 mànmàn slowly
4. 品味 pǐnwèi v. to taste, to savor
5. 希望 xīwàng v. to hope, to wish
6. 桥 qiáo n. bridge
7. 连 lián v. to link, to connect
8. 广告 guǎnggào n. advertisement, commercial
9. 产品 chǎnpǐn n. product, produce
10. 感兴趣 gǎn xìngqù to be interested in
    兴趣 xìngqù n. interest
11. 地理 dìlǐ n. geography
12. 满意 mǎnyì v. to be satisfied
13. 了解 liǎojiě v. to know well, to understand

7 Vocabulary and Chinese characters 学习词汇和汉字

1. 朗读下列词语，然后为它们填选择相应的图片。Read the words aloud and then write them beside the right pictures.

a. 葡萄酒 pútaojiǔ　b. 矿泉水 kuàngquánshuǐ　c. 包子 bāozi　d. 烤鸭 kǎoyā　e. 炸酱面 zhájiàngmiàn　f. 茶 chá
g. 啤酒 píjiǔ　h. 汉堡 hànbǎo　i. 奶酪 nǎilào　j. 蛋糕 dàngāo　k. 鱼 yú

2. 写一份你喜欢的自助餐菜单，然后告诉大家。Write a buffet menu with the food you like and then tell others about it.

3. 朗读下列汉字，然后根据共同部分给汉字分类，说说共同部分是什么意思。Read the characters aloud, group them according to the common parts they have, and then talk about the meanings of the common parts.

a. 病 bìng　b. 厅 tīng　c. 瘦 shòu　d. 库 kù　e. 疼 téng　f. 厨 chú　g. 店 diàn　h. 原 yuán　i. 庭 tíng

（1）病 ______ ______

（2）厅 ______ ______

（3）店 ______ ______

8 Communicative activities 交际活动

1. 三四人一组，说说各自对幸福的理解。Work in groups of three or four. Exchange your understandings of happiness.

2. 说说你认为幸福像什么。What do you think happiness is like?

Lesson 11

Shuǐxīng
水星
The planet Mercury

Text 课文 借助生词表，快速浏览课文后回答问题：水星上有什么？  11-1

What is there on Mercury? Skim through the text with the help of the list of new words and then answer the question.

Shuǐxīng shì tàiyángxì bā dà xíngxīng zhī yī.
水星是太阳系八大行星之一。

Shuǐxīng fēicháng xiǎo, gēn dìqiú xiāng bǐ, tā zhǐ néng suànshì ge "xiǎo xiōngdi". Shuǐxīng lí tàiyang zuì jìn, biǎomiàn wēnchā hěn dà, tàiyang zhàodào de dìfang wēndù gāo dá shèshì sìbǎi sānshí dù, zhào bu dào de dìfang què zhǐ yǒu shèshì líng xià yìbǎi qīshí dù.
水星非常小，跟地球相比，它只能算是个"小兄弟"。水星离太阳最近，表面温差很大，太阳照到的地方温度高达摄氏430度，照不到的地方却只有摄氏零下170度。

Shuǐxīng biǎomiàn yǒu hěn duō shān, tāmen dōu shì yòng shìjiè zhùmíng de wénxuéjiā, yìshùjiā de míngzi mìng míng de, qízhōng yǒu shíwǔ ge shì yòng Zhōngguórén de míngzi mìng míng de, bāokuò Bó Yá, Lǐ Bái, Lǔ Xùn děng.
水星表面有很多山，它们都是用世界著名的文学家、艺术家的名字命名的，其中有15个是用中国人的名字命名的，包括伯牙、李白、鲁迅等。

Answer the questions 回答问题

1. Tàiyángxì yǒu jǐ dà xíngxīng?
   太阳系有几大行星？
2. Nǎge xíngxīng lí tàiyang zuì jìn?
   哪个行星离太阳最近？
3. Shuǐxīng dà ma?
   水星大吗？
4. Shuǐxīng biǎomiàn de zuì gāo wēndù shì duōshao dù?
   水星表面的最高温度是多少度？
   Zuì dī wēndù shì duōshao dù?
   最低温度是多少度？
5. Shuǐxīng biǎomiàn yǒu shénme?
   水星表面有什么？
6. Shuǐxīng shang de shān shì yòng shénme mìng míng de?
   水星上的山是用什么命名的？
7. Zhèxiē shān yǒu duōshao ge shì yǐ Zhōngguórén de míngzi mìng míng de?
   这些山有多少个是以中国人的名字命名的？

New words 生词 11-2

1. 水星	shuǐxīng	n.	Mercury	12. 照	zhào	v.	to shine
2. 太阳系	tàiyángxì	n.	solar system	13. 温度	wēndù	n.	temperature
3. 行星	xíngxīng	n.	planet	14. 达	dá	v.	to reach, to arrive at, to amount to
4. 之一	zhī yī		one of, among	15. 摄氏度	shèshìdù	m.	degree Celsius (℃)
5. 地球	dìqiú	n.	Earth	16. 文学家	wénxuéjiā	n.	writer, man of letters
6. 相比	xiāng bǐ		to compare, to contrast	文学	wénxué	n.	literature
7. 算是	suànshì	v.	to count as, to regard as	17. 艺术家	yìshùjiā	n.	artist
8. 兄弟	xiōngdi	n.	younger brother	艺术	yìshù	n.	art
9. 离	lí	v.	to be away from	18. 命名	mìng míng	v.	to name, to give a name to
10. 表面	biǎomiàn	n.	surface	19. 其中	qízhōng	n.	among, in
11. 温差	wēnchā	n.	temperature difference	20. 包括	bāokuò	v.	to include, to contain

Proper nouns 专有名词

1. 伯牙 Bó Yá Boya, a musician during the Spring-Autumn Period (770 BC–476 BC) or the Warring States Period (475 BC–221 BC)
2. 李白 Lǐ Bái Li Bai (701–762), a famous poet in the Tang Dynasty
3. 鲁迅 Lǔ Xùn Lu Xun (1881–1936), a famous modern Chinese writer

Notes 注释

1. 只能算是个"小兄弟"

The verb "算是" means "to consider or regard as".

2. 水星离太阳最近

The expression "X 离 Y (远/近)" indicates the distance between X and Y.

Text retelling 复述课文

Shuǐxīng shì…… zhī yī.
水星是……之一。

Shuǐxīng……, gēn……, tā zhǐ néng……. Shuǐxīng lí……, biǎomiàn wēnchā……, tàiyang zhàodào de dìfang…… sìbǎi sānshí dù, zhào bu dào de dìfang…… líng xià yìbǎi qīshí dù.
水星……，跟……，它只能……。水星离……，表面温差……，太阳照到的地方……430度，照不到的地方……零下170度。

Shuǐxīng biǎomiàn……, tāmen dōu shì yòng…… mìng míng de, qízhōng yǒu shíwǔ ge……, bāokuò Bó Yá、Lǐ Bái、Lǔ Xùn děng.
水星表面……，它们都是用……命名的，其中有15个……，包括伯牙、李白、鲁迅等。

Text in English 译文

Mercury is one of the eight planets in the solar system.

Mercury is really small compared with the Earth, pretty much a "little younger brother" of the Earth. As the planet closest to the sun, Mercury has a huge temperature difference on its surface. The temperature can reach 430 degrees Celsius where the sun shines, while elsewhere it is minus 170 degrees Celsius.

There are a lot of mountains on the surface of Mercury, which are named after famous writers and artists in the world. 15 of them are named after Chinese people including Boya, Li Bai and Lu Xun.

（一）算是  11-3

1. 朗读下列句子，画出“算是”后面的词语。 Read the sentences aloud and underline the words or phrases after “算是”.

Shuǐxīng fēicháng xiǎo, gēn dìqiú xiāng bǐ, tā zhǐ néng suànshì ge “xiǎo xiōngdi”.
（1）水星非常小，跟地球相比，它只能算是个“小兄弟”。

Běnjiémíng hěn liǎojiě Zhōngguó wénhuà, suànshì ge zhōngguótōng le.
（2）本杰明很了解中国文化，算是个中国通了。

Tā zài zhège gōngsī suànshì ge búcuò de xiāoshòuyuán.
（3）她在这个公司算是个不错的销售员。

Liú jiàoshòu fēicháng shòu huānyíng, suànshì zhège dàxué li zuì yǒumíng de rén le.
（4）刘教授非常受欢迎，算是这个大学里最有名的人了。

Nǐ juéde zěnyàng cái suànshì zhēnzhèng de péngyou?
（5）你觉得怎样才算是真正的朋友？

2. 连线成句，然后朗读。 Draw lines to make sentences and then read the sentences aloud.

Dàwèi ài chī gè zhǒng měishí, （1）大卫爱吃各种美食，	zhǐ néng suànshì ge xiǎo fànguǎnr. 只能算是个小饭馆儿。
Rúguǒ zhè yě suànshì xiǎoshuō, （2）如果这也算是小说，	suànshì ge xiǎo túshūguǎn le. 算是个小图书馆了。
Tā zhème ài xuéxí, （3）他这么爱学习，	suànshì ge měishíjiā le. 算是个美食家了。
Lín Mù jiā shū duō jí le, （4）林木家书多极了，	nà shéi dōu néng xiě. 那谁都能写。
Zhège cāntīng bú dà, rén yě bù duō, （5）这个餐厅不大，人也不多，	suànshì ge hǎo xuésheng. 算是个好学生。

（二）X 离 Y 远/近  11-4

1. 朗读下列句子，画出“离”前面和后面的名词性词语。 Read the sentences aloud and underline the nouns or noun phrases before and after “离”.

Shuǐxīng lí tàiyang zuì jìn.
（1）水星离太阳最近。

Zhè jiā chāoshì lí dìtiězhàn hěn jìn.
（2）这家超市离地铁站很近。

Wǒ jiā lí Guójì Huìyì Zhōngxīn bù yuǎn.
（3）我家离国际会议中心不远。

Shànghǎi lí Xī'ān tǐng yuǎn de.
（4）上海离西安挺远的。

Lǐxiǎng zǒngshì lí xiànshí hěn yuǎn.
（5）理想总是离现实很远。

2. 根据图片，用“X 离 Y 远/近”描述两个地点之间的距离。 Describe the distance between each pair of places using “X 离 Y 远/近” based on the pictures.

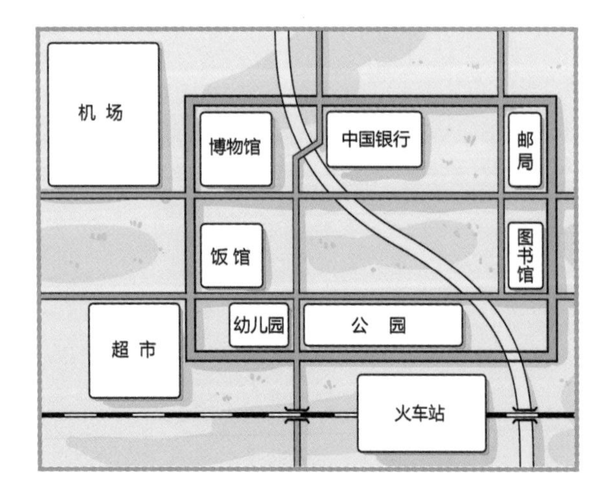

yòu'éryuán gōngyuán
（1）幼儿园　公园
Yòu'éryuán lí gōngyuán hěn jìn.
幼儿园离公园很近。

yóujú Zhōngguó Yínháng
（2）邮局　中国银行

fànguǎnr chāoshì
（3）饭馆儿　超市

túshūguǎn bówùguǎn
（4）图书馆　博物馆

huǒchēzhàn jīchǎng
（5）火车站　机场

Supplementary new words 扩展生词

11-5

1. 中国通 zhōngguótōng n. China expert, China hand
2. 不错 búcuò adj. good, not bad
3. 教授 jiàoshòu n. professor
4. 怎样 zěnyàng pron. *used in an interrogative sentence inquiring about nature, condition, manner, volition, etc.*
5. 才 cái adv. *used to indicate sth. new has happened*
6. 真正 zhēnzhèng adj. real, true
7. 国际 guójì n. international
8. 会议 huìyì n. meeting, conference, convention
9. 挺 tǐng adv. very, quite, rather
10. 理想 lǐxiǎng n. ideal
11. 现实 xiànshí n. reality

Proper noun 专有名词

国际会议中心 Guójì Huìyì Zhōngxīn international convention center

7 Vocabulary and Chinese characters 学习词汇和汉字

1. 图中人物都是“我”的什么人？为他们选择相应的词语。What's the relationship between “I” and the persons in the picture? Choose the right words.

a. bàba 爸爸	b. dìdi 弟弟	c. érzi 儿子
d. gēge 哥哥	e. jiějie 姐姐	f. māma 妈妈
g. mèimei 妹妹	h. nǎinai 奶奶	i. nǚ'ér 女儿
j. yéye 爷爷	k. zhàngfu 丈夫	l. qīzi 妻子

m. fùqin 父亲（father） n. mǔqin 母亲（mother）

o. sūnzi 孙子（grandson） p. lǎolao 姥姥（grandma）

q. lǎoye 姥爷（grandpa）

r. sūnnǚr 孙女儿（granddaughter）

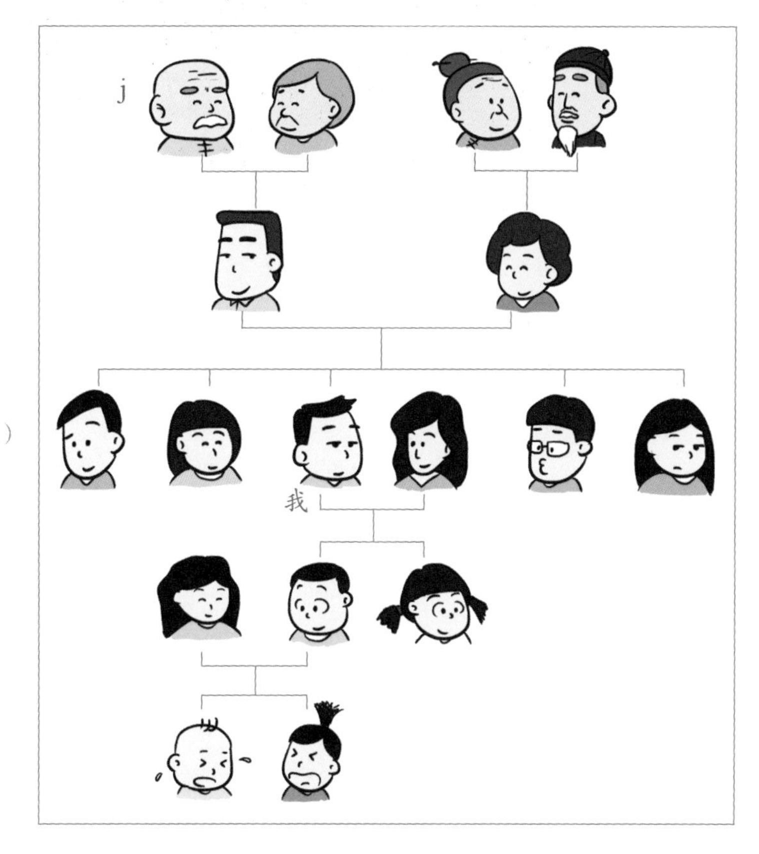

2. 说说你家都有什么人。
Talk about the family members you have.

Example：

Wǒ jiā yǒu bàba、 māma、 gēge hé wǒ.
我家有爸爸、妈妈、哥哥和我。

8 Communicative activities 交际活动

1. 两人一组，分别扮演老师和学生，编一段关于水星的8－10句的对话。Work in pairs to play a teacher and a student. Make up a conversation about Mercury with 8－10 sentences.

2. 画一张你所在社区的简单地图，并向同伴介绍社区里各种公共设施或者建筑的距离。（用上“A 离 B 远/近”）Draw a simple map of your neighborhood and describe the distance between the public facilities or buildings to your partner. (Use the structure “A 离 B 远/近”.)

Lesson 12

Sòng làzhú
送蜡烛
Offering a candle

Text 课 文 借助生词表，快速浏览课文后回答问题： 敲门的人是谁？  12-1

Who knocked at the door? Skim through the text with the help of the list of new words and then answer the question.

Yí ge niánqīng nǚrén gāng bāndào xīn jiā, wǎnshang hūrán tíng diàn le. Tā zhǎochū làzhú, zhèng xiǎng diǎnzháo, tīngdào yǒu rén qiāo mén.
一个年轻女人刚搬到新家，晚上忽然停电了。她找出蜡烛，正想点着，听到有人敲门。

Tā dǎkāi mén, yuánlái shì gébì jiā de xiǎo nǚháir.
她打开门，原来是隔壁家的小女孩儿。

Xiǎo nǚháir wèn: "Āyí, nín jiā yǒu làzhú ma?" Nǚrén yǐwéi tā shì lái jiè làzhú de, xīn li hěn bù gāoxìng: Wǒ gāng bānlai nǐ jiù lái jiè dōngxi. Yúshì nǚrén lěngbīngbīng de shuō: "Méiyǒu!"
小女孩儿问："阿姨，您家有蜡烛吗？"女人以为她是来借蜡烛的，心里很不高兴：我刚搬来你就来借东西。于是女人冷冰冰地说："没有！"

Méi xiǎngdào xiǎo nǚháir què déyì de xiàozhe shuō: "Wǒ zhīdao nín jiā méiyǒu làzhú, jiù gěi nín sònglai le."
没想到小女孩儿却得意地笑着说："我知道您家没有蜡烛，就给您送来了。"

Answer the questions 回答问题

1. Yí ge niánqīng nǚrén gāng bāndào xīn jiā, wǎnshang zěnme le?
   一个年轻女人刚搬到新家，晚上怎么了？
2. Tíng diàn yǐhòu, nǚrén xiǎng zuò shénme?
   停电以后，女人想做什么？
3. Zhèshí tā tīngdàole shénme?
   这时她听到了什么？
4. Qiāo mén de rén shì shéi?
   敲门的人是谁？
5. Xiǎo nǚháir shuō shénme?
   小女孩儿说什么？
6. Nǚrén wèi shénme hěn bù gāoxìng?
   女人为什么很不高兴？
7. Nǚrén shuō shénme?
   女人说什么？
8. Xiǎo nǚháir lái zuò shénme?
   小女孩儿来做什么？

2 New words 生词 12-2

1. 搬家	bān jiā	v.	to move (house)
搬	bān	v.	to move, to remove
家	jiā	n.	house
2. 忽然	hūrán	adv.	suddenly
3. 停电	tíng diàn	v.	to have a power failure
电	diàn	n.	electricity, electric power
4. 蜡烛	làzhú	n.	candle
5. 正	zhèng	adv.	in the process of, in course of
6. 点	diǎn	v.	to light, to ignite
7. 着	zháo	v.	*used after a verb to indicate the result of an action*
8. 敲门	qiāo mén	v.	to knock at the door
9. 原来	yuánlái	adv.	as it turns out
10. 隔壁	gébì	n.	next door
11. 阿姨	āyí	n.	(*term of address for a woman of one's mother's age*) auntie
12. 心	xīn	n.	heart
13. 冷冰冰	lěngbīngbīng	adj.	cold
14. 得意	déyì	adj.	pleased with oneself, proud of oneself, complacent
15. 送	sòng	v.	to send, to carry

3 Notes 注释

1. 她打开门，原来是隔壁家的小女孩儿。

The adverb "原来" indicates a situation unknown before it is discovered.

2. 我给您送来了。

The noun or pronoun following the preposition "给" is the recipient that benefits from the action denoted by the verb.

4 Text retelling 复述课文

Yí ge niánqīng nǚrén……, wǎnshang……. Tā……, zhèng xiǎng……, tīngdào…….
一个年轻女人……，晚上……。她……，正想……，听到……。

Tā……, yuánlái shì…….
她……，原来是……。

Xiǎo nǚháir wèn: "Āyí, nín jiā……?" Nǚrén yǐwéi……, xīn li……: Wǒ gāng……. ……
小女孩儿问："阿姨，您家……？"女人以为……，心里……：我刚……。……

nǚrén…… de shuō: "……!"
女人……地说："……！"

Méi xiǎngdào xiǎo nǚháir…… shuō: "Wǒ zhīdao……, jiù……."
没想到小女孩儿……说："我知道……，就……。"

5 Text in English 译文

A young woman had just moved into a new house. That very night, the electricity went out. She found a candle and was about to light it when she heard someone knock at the door.

She opened the door, it turned out to be the little girl next door.

"Do you have a candle, madam?" the little girl asked. The woman felt annoyed, thinking "I've just moved here and you are already here borrowing something." "No!" She said coldly.

"I knew you don't, so I've brought you one." the little girl smiled complacently.

（一）原来  12-3

1. 朗读下列句子，画出“原来”后面的词语。Read the sentences aloud and underline the words after “原来”.

Tā dǎkāi mén, yuánlái shì gébì jiā de xiǎo nǚháir.
（1）她打开门，原来是隔壁家的小女孩儿。

Wǒ zhǎo nǐ bàntiān méi zhǎodào, yuánlái nǐ zài zhèr a.
（2）我找你半天没找到，原来你在这儿啊。

Guàibude zuìjìn tā zhème lèi, yuánlái tā érzi shēng bìng zhù yuàn le.
（3）怪不得最近她这么累，原来她儿子生病住院了。

Guàibude nǐmen zhǎng de zhème xiàng, yuánlái shì shuāngbāotāi a.
（4）怪不得你们长得这么像，原来是双胞胎啊。

Wǒ de shǒujī tūrán guānjī le, yuánlái shì méi diàn le.
（5）我的手机突然关机了，原来是没电了。

2. 根据图片，用“原来”完成句子，然后朗读。Complete the sentences with “原来” based on the pictures and then read the sentences aloud.

Zǎoshang, chuāng wài de shù dōu biànchéngle báisè, yuánlái xià xuě le.
（1）早上，窗外的树都变成了白色，原来下雪了。

Fángjiān li de dēng tūrán bú liàng le,
（2）房间里的灯突然不亮了，________________。

Wǒ hěn cháng shíjiān méi kàndào Xiǎo Lǐ,
（3）我很长时间没看到小李，________________。

Tā zuìjìn shòule hěn duō,
（4）他最近瘦了很多，________________。

Zǎoshang wǒ dàole bàngōngshì, yí ge rén dōu méiyǒu,
（5）早上我到了办公室，一个人都没有，________________。

（二）给 12-4

1. 朗读下列句子，画出“给”后面的名词或代词。Read the sentences aloud and underline the nouns or pronouns after “给”.

Wǒ gěi nín sònglai le.
（1）我给您送来了。

Xiǎo Wáng hěn yōumò, jīngcháng gěi dàjiā jiǎng xiàohua.
（2）小王很幽默，经常给大家讲笑话。

Dàwèi gěi jiārén jièshàole tā zài Zhōngguó de shēnghuó.
（3）大卫给家人介绍了他在中国的生活。

Zuótiān Lǐ lǎoshī gěi tóngxuémen zuòle yí ge jīngcǎi de jiǎngzuò.
（4）昨天李老师给同学们做了一个精彩的讲座。

Jīntiān tā yòu gěi wǒ ānzhuāngle yí ge xīn ruǎnjiàn.
（5）今天他又给我安装了一个新软件。

2. 用“给”组句，然后朗读。Make up sentences with “给” and then read the sentences aloud.

nánpéngyou diànyǐngpiào mǎile tā yì zhāng
（1）男朋友 电影票 买了 她 一张

Nánpéngyou gěi tā mǎile yì zhāng diànyǐngpiào.
男朋友给她买了一张电影票。

dàilai xiàozhǎng yí ge dàjiā hǎo xiāoxi
（2）带来 校长 一个 大家 好消息

jiějie mǎile hěn duō Fāngfang lǚyóu shū
（3）姐姐 买了 很多 方方 旅游书

zuòle māma hěn duō wǒmen hǎochī de
（4）做了 妈妈 很多 我们 好吃的

liúle wǒ tā wǒ de shǒujī hàomǎ
（5）留了 我 她 我的 手机号码

Supplementary new words

12-5

1. 半天	bàntiān	num.-cl.	quite a long time
2. 住院	zhù yuàn	v.	to be in hospital
3. 长	zhǎng	v.	to grow, to develop
4. 双胞胎	shuāngbāotāi	n.	twins
5. 关机	guānjī	v.	to turn off a cellphone
6. 幽默	yōumò	adj.	humorous
7. 笑话	xiàohua	n.	joke, jest
8. 家人	jiārén	n.	family member
9. 讲座	jiǎngzuò	n.	lecture
10. 安装	ānzhuāng	v.	to install, to set up

7 Vocabulary and Chinese characters 学习词汇和汉字

1. 朗读下列词语，然后把它们填到图中相应的位置。Read the words aloud and then write them beside the right pictures.

xiānsheng a. 先生	xiǎojie b. 小姐	xuésheng c. 学生	āyí d. 阿姨	péngyou e. 朋友	tóngshì f. 同事
xiǎotōu g. 小偷	kèren h. 客人	línjū i. 邻居	jiātíng zhǔfù j. 家庭主妇		

2. 用上面的词语问答。Ask and answer questions using the words above.

Example：A: Tā shì shéi? 他是谁？　B: Tā shì Zhāng xiānsheng. / Tā shì wǒ de tóngshì. 他是张先生。/他是我的同事。

3. 朗读下列常用汉字，并组词。Read the common characters below and make words with them.

12-6

rì 日	zhě 者	jūn 军	yì 意	wú 无	lì 力	tā 它	yǔ 与	cháng/zhǎng 长	bǎ 把
jī 机	shí 十	mín 民	dì 第	gōng 公	cǐ 此	yǐ 已	gōng 工	shǐ 使	qíng 情
míng 明	xìng 性	zhī 知	quán 全	sān 三	yòu 又	guān 关	diǎn 点	zhèng 正	yè 业
wài 外	jiāng 将	liǎng 两	gāo 高	jiān 间	yóu 由	wèn 问	hěn 很	zuì 最	zhòng 重
bìng 并	wù 物	shǒu 手	yīng 应	zhàn 战	xiàng 向	tóu 头	wén 文	tǐ 体	zhèng 政

8 Communicative activities 交际活动

1. 跟同伴分别扮演年轻女人和小女孩儿，编一段8－10句的对话。Work in pairs to play the young woman and the little girl. Make up a conversation with 8－10 sentences.

2. 跟大家说一件别人误会你或你误会别人的事。Tell your classmates one of your experiences about misunderstanding someone or being misunderstood by someone.

Lesson 13

Mài shànzi
卖扇子
Selling fans

Text 课文

借助生词表，快速浏览课文后回答问题：从课文来看，王羲之的书法怎么样？ 13-1

How was Wang Xizhi's calligraphy according to the text? Skim through the list of new words and then answer the question.

Yǒu yì tiān, yí wèi lǎonǎinai zài jíshì shang mài shànzi, guòle hǎo cháng shíjiān yě méiyǒu rén mǎi, tā shífēn zháojí.
有一天，一位老奶奶在集市上卖扇子，过了好长时间也没有人买，她十分着急。

Zhè shíhou zǒu guolai yí ge rén, náqǐ shànzi jiù zài shàngmian xiě qǐ zì lai. Lǎonǎinai hěn bù gāoxìng, bú ràng tā xiě. Zhège rén què jíqí zìxìn de shuō: "Nín fàng xīn, xiěle zì bǎozhèng jiù yǒu rén mǎi le." Xiěwán tā jiù zǒu le.
这时候走过来一个人，拿起扇子就在上面写起字来。老奶奶很不高兴，不让他写。这个人却极其自信地说："您放心，写了字保证就有人买了。"写完他就走了。

Guǒrán, tā gāng zǒu, rénmen lìkè wéile shanglai, qiǎngzhe mǎi, shànzi hěn kuài jiù màiguāng le.
果然，他刚走，人们立刻围了上来，抢着买，扇子很快就卖光了。

Yuánlái, xiě zì de rén shì Wáng Xīzhī, tā shì Zhōngguó gǔdài zuì yǒumíng de shūfǎjiā zhī yī.
原来，写字的人是王羲之，他是中国古代最有名的书法家之一。

Answer the questions 回答问题

1. Lǎonǎinai zài nǎr, zài zuò shénme?
   老奶奶在哪儿，在做什么？
2. Yǒu rén mǎi tā de shànzi ma?
   有人买她的扇子吗？
3. Zǒu guolai de rén zuòle shénme?
   走过来的人做了什么？
4. Lǎonǎinai zěnmeyàng?
   老奶奶怎么样？
5. Xiě zì de rén shuōle shénme?
   写字的人说了什么？
6. Xiě zì de rén zǒu hòu fāshēngle shénme shì?
   写字的人走后发生了什么事？
7. Xiě zì de rén jiào shénme?
   写字的人叫什么？
8. Tā shì shénme rén?
   他是什么人？

New words 生词 13-2

1. 老奶奶 lǎonǎinai n. (*respectful form of address for an old woman used by children*) granny, grandma
2. 集市 jíshì n. market, bazaar
3. 扇子 shànzi n. fan (object)
4. 好 hǎo adv. (*used before certain time or numeral indicators to suggest a large number or a long time*) quite, rather
5. 十分 shífēn adv. very, fully
6. 极其 jíqí adv. extremely, exceedingly
7. 自信 zìxìn adj. self-confident
8. 放心 fàng xīn v. to rest assured, to have confidence
9. 保证 bǎozhèng v. to ensure, to assure
10. 果然 guǒrán adv. as expected, sure enough
11. 立刻 lìkè adv. at once, immediately
12. 围 wéi v. to surround, to enclose, to besiege
13. 抢 qiǎng v. to hurry, to rush
14. 古代 gǔdài n. ancient times
15. 书法家 shūfǎjiā n. calligrapher

Proper noun 专有名词

王羲之 Wáng Xīzhī Wang Xizhi (303−361), a fourth-century Chinese calligrapher

Notes 注释

1. 这个人拿起扇子就在上面写起字来。

The structure "v./adj.＋起来" is used after a verb or an adjective to indicate that an action or a state begins and goes on. The object of the verb needs to be put between "起" and "来". This is an extended usage of "起来".

2. 他刚走，人们立刻围了上来。

The structure "v.＋上来" indicates a movement towards the location of the speaker. "了" can be added before "上来" to indicate the completion of the movement. This is an extended usage of "上来".

Text retelling 复述课文

Yǒu yì tiān, yí wèi lǎonǎinai……, guòle hǎo cháng shíjiān……, tā…….
有一天，一位老奶奶……，过了好长时间……，她……。

Zhè shíhou……, náqǐ…… jiù……. Lǎonǎinai ……, bú ràng……. Zhège rén què…… shuō:
这时候……，拿起……就……。老奶奶……，不让……。这个人却……说：

"……, xiěle zì……." Xiěwán…….
"……，写了字……。"写完……。

Guǒrán, tā gāng zǒu, rénmen……, qiǎngzhe……, shànzi…….
果然，他刚走，人们……，抢着……，扇子……。

Yuánlái, xiě zì de rén shì……, tā shì…… zhī yī.
原来，写字的人是……，他是……之一。

Text in English 译文

Once there was an old woman selling fans in a market. Quite a long time had passed and nobody came to buy her fans. She was very worried.

Just then a man came to her, picked up a fan and began to write on it. The old woman was annoyed and tried to stop him, but the man said to her with much confidence "Trust me. With words on them, your fans will sell". He finished writing and then walked away.

After he left, people rushed to the old woman's stall surrounding it and the fans were sold out soon.

It turned out to be Wang Xizhi, one of the most famous calligraphers in ancient China.

（一）v./adj. + 起来  13-3

1. **朗读下列句子，画出“起来”前面的动词或形容词。** Read the sentences aloud and underline the verbs or adjectives before “起来”.

Zhège rén ná qǐ shànzi jiù zài shàngmian xiěqǐ zì lai.
（1）这个人拿起扇子就在上面写起字来。

Tā gāng chàngwán, guānzhòng jiù gǔqǐ zhǎng lai.
（2）他刚唱完，观众就鼓起掌来。

Wǒ gāng dào jiā diànhuà jiù xiǎng qilai le.
（3）我刚到家电话就响起来了。

Chūntiān dào le, tiānqì nuǎnhuo qilai le.
（4）春天到了，天气暖和起来了。

Zhè zhǒng shǒujī shì zuì xīn kuǎnshì, yídìng huì hěn kuài liúxíng qilai.
（5）这种手机是最新款式，一定会很快流行起来。

2. **根据图片，用“v./adj. + 起来”完成句子，然后朗读。** Complete the sentences with “v./adj. + 起来” based on the pictures and then read the sentences aloud.

Wǒmen gāng chū dìtiězhàn jiù xiàqǐ yǔ lai.
（1）我们刚出地铁站就下起雨来。

Tīngle tā de huà, dàjiā dōu ______ le.
（2）听了他的话，大家都______了。

Xiǎomíng huídào jiā jiù
（3）小明回到家就______。

Tā náqǐ bǐ, jiù kāishǐ
（4）他拿起笔，就开始______。

Xiàtiān dào le, tiānqì
（5）夏天到了，天气______。

（二）v. + 上来  13-4

1. **朗读下列句子，画出“上来”前面的动词。** Read the sentences aloud and underline the verbs before “上来”.

Tā gāng zǒu, rénmen lìkè wéile shanglai.
（1）他刚走，人们立刻围了上来。

Zhāng lǎoshī tōngzhī dàjiā míngtiān bǎ dú shū bàogào jiāo shanglai.
（2）张老师通知大家明天把读书报告交上来。

Diǎnwán cài, fúwùyuán hěn kuài jiù bǎ cài duānle shanglai.
（3）点完菜，服务员很快就把菜端了上来。

Wǒmen gāng dào gōngsī ménkǒu, jīnglǐ jiù yíngle shanglai.
（4）我们刚到公司门口，经理就迎了上来。

Bǐsài kuài jiéshù de shíhou, dì-èr míng yùndòngyuán zhuīle shanglai.
（5）比赛快结束的时候，第2名运动员追了上来。

2. **为下列句子选择合适的动词，然后朗读。** Choose a suitable verb for each sentence and then read the sentences aloud.

wéi a. 围　　duān b. 端　　jiāo c. 交　　zhuī d. 追　　gēn e. 跟

Dàshuāng zhèng yào guò mǎlù, yí ge rén ___ shanglai wèn: “Qǐngwèn Zhōngguó Yínháng zài nǎr?”
（1）大双正要过马路，一个人_d_上来问：“请问中国银行在哪儿？”

Kuài diǎnr zǒu, hòumian de tóngxué dōu ___ shanglai!
（2）快点儿走，后面的同学都___上来！

Yí kànjiàn Dīng lǎoshī, tóngxuémen dōu ___ le shanglai.
（3）一看见丁老师，同学们都___了上来。

Wǒmen gāng zuòxia, fúwùyuán jiù ___ shanglai liǎng bēi chá.
（4）我们刚坐下，服务员就___上来两杯茶。

Qǐng dàjiā bǎ zuòyè dōu ___ shanglai.
（5）请大家把作业都___上来。

Supplementary new words   13-5

1. 观众	guānzhòng	n.	audience
2. 鼓掌	gǔ zhǎng	v.	to applaud, to clap one's hands
3. 响	xiǎng	v.	to ring, to sound
4. 款式	kuǎnshì	n.	style, pattern, design
5. 流行	liúxíng	v.	popular, in vogue
6. 通知	tōngzhī	v.	to notify, to inform
7. 读书报告	dú shū bàogào		book report
报告	bàogào	n.	report
8. 点菜	diǎn cài	v.	to order food
9. 端	duān	v.	to hold sth. level with both hands, to carry
10. 迎	yíng	v.	to go or move towards, to meet face to face
11. 快	kuài	adv.	soon, before long
12. 名	míng	m.	rank, ranking
13. 追	zhuī	v.	to chase, to catch up with

Vocabulary and Chinese characters 学习词汇和汉字

1. 朗读下列词语，然后为它们选择相应的图片。Read the words aloud and then write them beside the right pictures.

a. 搬 (bān)	b. 擦 (cā)	c. 弹 (tán)	d. 挂 (guà)	e. 画 (huà)	f. 鼓掌 (gǔ zhǎng)
g. 洗 (xǐ)	h. 抓 (zhuā)	i. 捡 (jiǎn)	j. 抢 (qiǎng)	k. 拿 (ná)	l. 敲门 (qiāo mén)

2. 用上面的词语问答。Ask and answer questions using the words above.

Example：A: 他在搬什么？(Tā zài bān shénme?)　B: 他在搬箱子。(Tā zài bān xiāngzi.)

3. 朗读下列词语，然后根据"家"的意思给词语分类。Read the words aloud and then group them according to the meanings of "家".

a. 家庭 (jiātíng)	b. 在家 (zài jiā)	c. 书法家 (shūfǎjiā)	d. 家里 (jiā li)	e. 文学家 (wénxuéjiā)
f. 家人 (jiārén)	g. 回家 (huí jiā)	h. 音乐家 (yīnyuèjiā)	i. 家庭主妇 (jiātíng zhǔfù)	

（1）家庭 ________ ________

（2）在家 ________ ________

（3）书法家 ________ ________

Communicative activities 交际活动

1. 四人一组，分别扮演老奶奶、王羲之和买扇子的人，编一段8－10句的对话。Work in groups of four to play the old woman, Wang Xizhi and people who buy the fans. Make up a conversation with 8 – 10 sentences.

2. 说说你知道的一位名人的趣事或者小故事。Tell an anecdote or interesting story about a celebrity you know.

Lesson 14

Zhǎo shēngyīn
找声音
Looking for your voice

Text 课文 借助生词表，快速浏览课文后回答问题：丈夫在找什么？  14-1

What was the husband looking for? Skim through the text with the help of the list of new words and then answer the question.

Yí duì fūqī chǎo jià zhīhòu, qīzi hǎojǐ tiān dōu bù gēn zhàngfu shuō huà.
一对夫妻吵架之后，妻子好几天都不跟丈夫说话。

Zhè tiān, zhàngfu xià bān huí jiā, yí jìn wū jiù fān xiāng dǎo guì de zhǎo dōngxi. Qīzi juéde hěn qíguài, jǐ cì xiǎng wèn dōu rěnzhù le.
这天，丈夫下班回家，一进屋就翻箱倒柜地找东西。妻子觉得很奇怪，几次想问都忍住了。

Zuìhòu, zhàngfu bǎ jiā li nòng de luànqībāzāo de, qīzi zhōngyú rěn bu zhù le, shēng qì de wèn: "Nǐ dàodǐ yào zhǎo shénme?"
最后，丈夫把家里弄得乱七八糟的，妻子终于忍不住了，生气地问："你到底要找什么？"

Zhàngfu gāoxìng de hǎn qilai: "Wǒ zhōngyú zhǎo dào le! Wǒ yào zhǎo de jiù shì nǐ de shēngyīn!"
丈夫高兴地喊起来："我终于找到了！我要找的就是你的声音！"

Qīzi xiào le, liǎng rén jiù héhǎo le.
妻子笑了，两人就和好了。

Answer the questions 回答问题

1. Qīzi wèi shénme hǎojǐ tiān dōu bù gēn zhàngfu shuō huà?
   妻子为什么好几天都不跟丈夫说话？
2. Zhàngfu xià bān huí jiā, yí jìn wū jiù zuò shénme?
   丈夫下班回家，一进屋就做什么？
3. Qīzi juéde zěnmeyàng?
   妻子觉得怎么样？
4. Qīzi wèi shénme zhōngyú rěn bu zhù le?
   妻子为什么终于忍不住了？
5. Qīzi shuō shénme?
   妻子说什么？
6. Tīngle qīzi de huà, zhàngfu zěnmeyàng?
   听了妻子的话，丈夫怎么样？
7. Zhàngfu zài zhǎo shénme?
   丈夫在找什么？
8. Liǎng rén zěnmeyàng le?
   两人怎么样了？

New words 生词 14-2

1. 对 duì m. pair, couple
2. 夫妻 fūqī n. husband and wife
3. 之后 zhīhòu n. later, after, afterwards
4. 好几 hǎojǐ num. many
5. 说话 shuō huà v. to speak, to say, to talk
6. 屋 wū n. house, room
7. 翻箱倒柜 fān xiāng dǎo guì to rummage through chests and cupboards, to ransack boxes and chests
8. 最后 zuìhòu n. finally, eventually
9. 弄 nòng v. to do, to make, to handle
10. 乱七八糟 luànqībāzāo to be at sixes and sevens, to be in a big mess
11. 终于 zhōngyú adv. finally, at (long) last
12. 到底 dàodǐ adv. *used in an interrogative sentence for emphasis*
13. 喊 hǎn v. to shout, to cry out
14. 和好 héhǎo v. to make peace, to make it up

Notes 注释

1. 丈夫一进屋就开始翻箱倒柜地找东西。

The structure "一……就……" (as soon as…) indicates that an action or a situation occurs right after another action or situation.

2. 妻子终于忍不住了。

The adverb "终于" indicates that a situation, usually a desired result, occurs after a long process.

4 Text retelling 复述课文

Yí duì fūqī……, qīzi hǎojǐ tiān…….
一对夫妻……，妻子好几天……。

Zhè tiān, zhàngfu……, yí jìn wū jiù……. Qīzi……, jǐ cì…… dōu…….
这天，丈夫……，一进屋就……。妻子……，几次……都……。

Zuìhòu, zhàngfu bǎ……, qīzi……, shēng qì de wèn: "Nǐ……?"
最后，丈夫把……，妻子……，生气地问："你……？"

Zhàngfu gāoxìng de hǎn qilai: "Wǒ……! Wǒ yào zhǎo de……!"
丈夫高兴地喊起来："我……！我要找的……！"

Qīzi……, liǎng rén…….
妻子……，两人……。

Text in English 译文

After a couple had an argument, the wife didn't speak to her husband for days.

One day, the husband got home from work, the minute he entered the house, he began to rummage through chests and cupboards in search of something. The wife felt curious, but she managed to hold back her questions.

She didn't say anything until he turned the house into a big mess. "What the hell are you looking for?" she asked angrily.

"Finally! It was your voice I was looking for!" The happy husband said out loud.

The wife cracked a smile and the two called a truce.

6 Grammar 学习语法

（一）一……就……  14-3

1. **朗读下列句子，画出“一”和“就”后面的词语。** Read the sentences aloud and underline the words or phrases after “一” and “就” respectively.

Zhàngfu yí jìn wū jiù fān xiāng dǎo guì de zhǎo dōngxi.
（1）丈夫一进屋就翻 箱 倒柜地找东西。

Dìtiězhàn bù yuǎn, wǎng qián zǒu, yì guǎi wān jiù dào le.
（2）地铁站不远，往 前 走，一拐 弯就到了。

Zhè shǒu zhōngwéngē hěn jiǎndān, yì xué jiù huì.
（3）这 首 中文歌很简单，一学就会。

Zhè jù huà wǒ yì tīng jiù míngbai le.
（4）这句话我一听就明白了。

Jīntiān, Mǎ jīnglǐ hěn lèi, yì huí jiā jiù zuò zài shāfā shang kàn diànshì, yí kàn diànshì jiù shuìzháo le. Zhèshí línjū lái qiāo mén, línjū yì qiāo mén, Mǎ jīnglǐ jiù xǐng le.
（5）今天，马经理很累，一回家就坐在沙发上 看电视，一看电视就睡着了。这时邻居来敲门，邻居一敲门，马经理就醒了。

2. **根据提示词语，用“一……就……”描述图片。** Describe the pictures using “一……就……” and the words and phrases given.

Zhè piān kèwén bù nán, xuésheng yí kàn jiù dǒng le. kàn dǒng
（1）这篇课文不难，学生__一看就懂了__。（看 懂）

Jīntiān Sūn mìshū hěn máng, shàng bān kāishǐ dǎ diànhuà
（2）今天孙秘书很忙，__________。（上班 开始打电话）

Tóngxuémen jiàn miàn liáo qilai
（3）同学们__________。（见面 聊起来）

Sūn lǎoshī cāi zhīdao shì shéi xiě de zì
（4）孙老师__________。（猜 知道是谁写的字）

（二）终于  14-4

1. **朗读下列句子，画出“终于”后面的词语。** Read the sentences aloud and underline the words or phrases after “终于”.

Qīzi zhōngyú rěn bu zhù le, shēng qì de wèn: “Nǐ dàodǐ yào zhǎo shénme?”
（1）妻子终于忍不住了，生气地问：“你到底要找什么？”

Zhàngfu děngle yí ge xiǎoshí, qīzi zhōngyú dǎban hǎo le.
（2）丈夫等了一个小时，妻子终于打扮好了。

Tā zhōngyú shíxiànle tóngnián de mèngxiǎng.
（3）他终于实现了童年的梦想。

Tā de xìn wǒ zhōngyú kàndǒng le.
（4）他的信我终于看懂了。

Ālǐ zhōngyú tōngguòle xīn HSK liù jí kǎoshì.
（5）阿里终于通过了新HSK 6级考试。

2. **选择合适的词语填空，然后朗读。** Fill in each blank with the right word or phrase and then read the sentences aloud.

Xiǎo Lǐ zhōngyú le chē yàoshi. zhǎodào diū
（1）小李终于__a__了车钥匙。 a. 找到 b. 丢

Liǎng ge xiǎoshí hòu, kǎoshì zhōngyú le. kāishǐ jiéshù
（2）两个小时后，考试终于____了。 a. 开始 b. 结束

Yí ge xiǎoshí hòu, Xībānyá duì zhōngyú le. yíng shū
（3）一个小时后，西班牙队终于____了。 a. 赢 b. 输

Gēge zhōngyú dàxué le. bì yè méi bì yè
（4）哥哥终于大学____了。 a. 毕业 b. 没毕业

Tā zhōngyú le zhè piān xiǎoshuō. méi xiěwán xiěwán
（5）他终于____了这篇小说。 a. 没写完 b. 写完

Supplementary new words 扩展生词

1. 拐弯	guǎi wān	v.	to turn, to turn a corner
2. 首	shǒu	m.	*used for poems and songs*
3. 简单	jiǎndān	adj.	easy, simple
4. 明白	míngbai	v.	to comprehend, to understand
5. 睡着	shuìzháo		to fall asleep
6. 醒	xǐng	v.	to wake up, to be awake
7. 实现	shíxiàn	v.	to realize, to achieve
8. 童年	tóngnián	n.	childhood
9. 梦想	mèngxiǎng	n.	dream, cherished desire
10. 通过	tōngguò	v.	to pass, to succeed in
11. 级	jí	m.	level, rank, grade

7 Vocabulary and Chinese characters 学习词汇和汉字

1. 朗读下列词语，然后按程度给它们排序。Read the words aloud and then put them in order according to their degree.

（1）a. 非常 (fēicháng)　b. 十分 (shífēn)　c. 挺 (tǐng)　d. 很 (hěn)　e. 极其 (jíqí)

挺 ______ ______ 非常 ______ ______

（2）a. 比较 (bǐjiào)　b. 最 (zuì)　c. 更 (gèng)

______ ______ ______

2. 用上面的词语加上“好”说句子。Say sentences using the words above and “好”.

Example：这本书很好。(Zhè běn shū hěn hǎo.)

3. 朗读下列汉字，然后根据共同部分给汉字分类，说说共同部分是什么意思。Read the characters aloud, group them according to the common parts they have, and then talk about the meanings of the common parts.

a. 租 (zū)　b. 笔 (bǐ)　c. 药 (yào)　d. 称 (chēng)　e. 箱 (xiāng)　f. 茶 (chá)

g. 稻 (dào)　h. 花 (huā)　i. 篮 (lán)　j. 草 (cǎo)　k. 种 (zhòng)　l. 筷 (kuài)

（1）租 ______ ______ ______

（2）箱 ______ ______ ______

（3）草 ______ ______ ______

8 Communicative activities 交际活动

1. 跟同伴分别扮演丈夫和妻子，编一段8－10句的对话。Work in pairs to play the couple. Make up a conversation with 8－10 sentences.

2. 你不高兴的时候会做什么？为什么？What do you do when you are unhappy? Why?

Lesson 15

Yì fēng bèi tuì huilai de xìn

一封被退回来的信

A returned mail

Text 课文

借助生词表，快速浏览课文后回答问题：“我”的信为什么被退回来了？  15-1

Why was “my” letter returned? Skim through the text with the help of the list of new words and then answer the question.

Zuótiān, wǒ shōudàole yì fēng bèi tuì huilai de xìn.
昨天，我收到了一封被退回来的信。

Wǒ názhe xìnfēng, cóng shōuxìnrén de yóuzhèng biānmǎ dào dìzhǐ, zài cóng jìxìnrén de yóuzhèng biānmǎ dào dìzhǐ, zǐzǐxìxì de kànle liǎng biàn, yě méiyǒu fāxiàn shénme wèntí.
我拿着信封，从收信人的邮政编码到地址，再从寄信人的邮政编码到地址，仔仔细细地看了两遍，也没有发现什么问题。

Wǒ zhèng mányuàn yóujú de shíhou, tūrán kàndào tiē yóupiào de dìfang, jìngrán shì yì zhāng wǒ zìjǐ de zhàopiàn.
我正埋怨邮局的时候，突然看到贴邮票的地方，竟然是一张我自己的照片。

Zhèshí wǒ tūrán xiǎngqǐ, wǒ zhǔnbèi jì xìn de shíhou, zhèng mángzhe tiánxiě kǎoshì bàomíngbiǎo. Tiē zhàopiàn de shíhou wǒ juéde hěn qíguài: Zěnme shǎole zhāng zhàopiàn ne?
这时我突然想起，我准备寄信的时候，正忙着填写考试报名表。贴照片的时候我觉得很奇怪：怎么少了张照片呢？

Answer the questions 回答问题

1. Zuótiān tā shōudàole shénme?
   昨天他收到了什么？
2. Tā kànle xìnfēng de nǎxiē dìfang?
   他看了信封的哪些地方？
3. Tā fāxiàn wèntí le ma?
   他发现问题了吗？
4. Tā juéde shì shéi de wèntí?
   他觉得是谁的问题？
5. Tā tūrán kàndàole shénme?
   他突然看到了什么？
6. Tā xiǎngqǐle shénme?
   他想起了什么？
7. Tiē zhàopiàn de shíhou, tā wèi shénme juéde hěn qíguài?
   贴照片的时候，他为什么觉得很奇怪？
8. Xìn wèi shénme bèi tuì huilai le?
   信为什么被退回来了？

2 New words 生词 15-2

1. 收 shōu v. to receive, to accept
2. 封 fēng m. *used for letters, emails, etc*
3. 退 tuì v. to return, to give back
4. 信封 xìnfēng n. envelope
5. 收信人 shōuxìnrén recipient (of a letter), addressee
   收信 shōu xìn to receive a letter
6. 邮政编码 yóuzhèng biānmǎ zip code
   邮政 yóuzhèng n. postal service
   编码 biānmǎ n. code
7. 寄信人 jìxìnrén sender (of a letter)
   寄信 jì xìn to send a letter
8. 仔仔细细 zǐzǐxìxì carefully, meticulously, attentively
   仔细 zǐxì adj. careful, meticulous, attentive
9. 正 zhèng adv. in the process of, in course of
10. 埋怨 mányuàn v. to complain, to blame
11. 贴 tiē v. to paste, to stick, to attach
12. 邮票 yóupiào n. stamp
13. 竟然 jìngrán adv. *indicating unexpectedness or surprise*
14. 忙 máng v. to be busy (with)
15. 填写 tiánxiě v. to fill in, to write
16. 报名表 bàomíngbiǎo n. registration form, entry form
    报名 bào míng v. to enter one's name, to sign up
    表 biǎo n. form, table
17. 少 shǎo v. to be missing

3 Notes 注释

1. 贴邮票的地方，竟然是一张我自己的照片。

   The adverb "竟然" indicates something unexpected.

2. 怎么少了张照片呢？

   The interrogative "怎么" can be used to inquire about reasons, meaning "why".

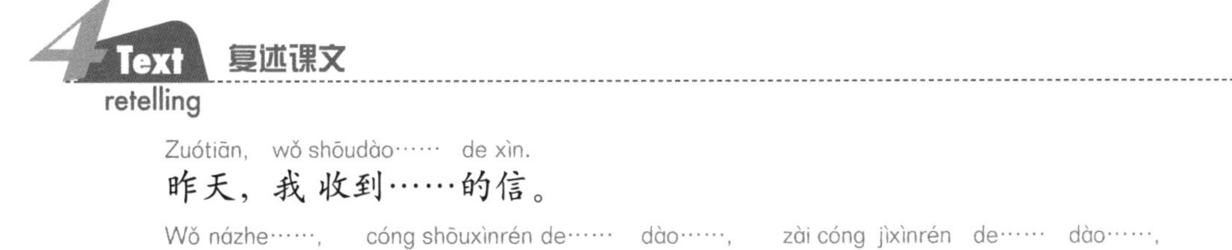

4 Text retelling 复述课文

Zuótiān, wǒ shōudào…… de xìn.
昨天，我收到……的信。

Wǒ názhe……, cóng shōuxìnrén de…… dào……, zài cóng jìxìnrén de…… dào……, zǐzǐxìxì de……, yě méiyǒu…….
我拿着……，从收信人的……到……，再从寄信人的……到……，仔仔细细地……，也没有……。

Wǒ zhèng…… de shíhou, tūrán kàndào……, jìngrán shì…….
我正……的时候，突然看到……，竟然是……。

Zhèshí……, ……de shíhou, zhèng mángzhe……. Tiē zhàopiàn de shíhou……: Zěnme……?
这时……，……的时候，正忙着……。贴照片的时候……：怎么……？

5 Text in English 译文

Yesterday I got a letter returned.

I carefully checked the envelope twice, from the receiver's zip code and address to the sender's zip code and address, and found nothing wrong.

I began to blame the post office when suddenly I saw a photo of mine lying where a stamp should be affixed.

Then it came to me that I was filling out an exam registration form before I went to send the letter and that I was wondering then why one of my photos was missing.

（一）竟然 15-3

1. 朗读下列句子，画出“竟然”后面的词语。Read the sentences aloud and underline the words or phrases after “竟然”.

Tiē yóupiào de dìfang, jìngrán shì yì zhāng wǒ zìjǐ de zhàopiàn.
（1）贴邮票的地方，竟然是一张我自己的照片。

Zhème jiǎndān de zì, tā jìngrán xiěcuò le, tài cūxīn le.
（2）这么简单的字，他竟然写错了，太粗心了。

Nàge rén wǒ jiànguo liǎng cì, jìngrán méiyǒu yìdiǎnr yìnxiàng.
（3）那个人我见过两次，竟然没有一点儿印象。

Jǐ nián qián liúxíng de yīfu yàngshì jīnnián jìngrán yòu liúxíng qilai le.
（4）几年前流行的衣服样式今年竟然又流行起来了。

Dǎoyóu jìngrán zhǎo bu dào bówùguǎn de rùkǒu.
（5）导游竟然找不到博物馆的入口。

2. 把“竟然”放入句中正确的位置，然后朗读。Put “竟然” in the right positions and then read the sentences aloud.

Qián xiānsheng méiyǒu qián
（1）_a_钱先生_b_没有_c_钱_d_。（ b ）

Wǒ bù zhīdào wǒ de liǎng ge tóngshì shì fūqī
（2）我_a_不_b_知道我的两个同事_c_是夫妻_d_。（ ）

Liú xiānsheng huì wàngle zìjǐ de fángjiān hào
（3）刘先生_a_会_b_忘了_c_自己的房间号_d_。（ ）

Zhèli de fángzū tài guì le, měi ge yuè yào liùqiān liùbǎi kuài qián.
（4）这里的房租_a_太贵了，_b_每个月_c_要_d_ 6600 块钱。（ ）

Liáole bàn ge xiǎoshí, nǎinai bù zhīdào jiē diànhuà de rén shì shéi.
（5）聊了_a_半个小时，奶奶_b_不知道_c_接电话的人_d_是谁。（ ）

（二）怎么 15-4

1. 朗读下列句子，画出“怎么”后面的词语。Read the sentences aloud and underline the words or phrases after “怎么”.

Zěnme shǎole zhāng zhàopiàn ne?
（1）怎么少了张照片呢？

Nǐ zěnme bù chángchang wǒ zuò de cài?
（2）你怎么不尝尝我做的菜？

Hángbān zěnme yòu wǎn le?
（3）航班怎么又晚了？

Wàimian zěnme zhème rènao?
（4）外面怎么这么热闹？

Liú jiàoshòu zěnme zuòqi shēngyi lai le?
（5）刘教授怎么做起生意来了？

2. 连线组成对话，然后朗读。Draw lines to make dialogues and then read the sentences aloud.

Mǎ Huá zěnme yòu bān jiā le? （1）马华怎么又搬家了？	Shǒujī méi diàn le. 手机没电了。
Nǐ zěnme guānjī le? （2）你怎么关机了？	Yīnwèi tā yòu huàn gōngzuò le. 因为他又换工作了。
Nǐ zěnme cái lái? （3）你怎么才来？	Jīntiān shāngchǎng dǎ zhé. 今天商场打折。
Nǐ jīntiān zěnme zhème gāoxìng? （4）你今天怎么这么高兴？	Yīnwèi wǒ de chē huài le. 因为我的车坏了。
Jīntiān rén zěnme zhème duō? （5）今天人怎么这么多？	Yīnwèi wǒ dāng bàba le! 因为我当爸爸了！

Supplementary new words 扩展生词

15-5

1. 粗心	cūxīn	adj.	careless, thoughtless	6. 航班	hángbān	n.	flight (number)
2. 印象	yìnxiàng	n.	impression	7. 外面	wàimian	n.	outside, out
3. 样式	yàngshì	n.	pattern, style, fashion	8. 热闹	rènao	adj.	busy, bustling
4. 导游	dǎoyóu	n.	tour guide	9. 做生意	zuò shēngyi		to do business, to be engaged in trade
5. 入口	rùkǒu	n.	entrance				

7 Vocabulary and Chinese characters 学习词汇和汉字

1. 朗读下列词语，然后把它们填到图中相应的位置。Read the words aloud and then write them in the right positions in the picture.

a. 地址 dìzhǐ	b. 收信人 shōuxìnrén	c. 寄信人 jìxìnrén	d. 邮票 yóupiào
e. 信 xìn	f. 信封 xìnfēng	g. 名字 míngzi	h. 邮政编码 yóuzhèng biānmǎ

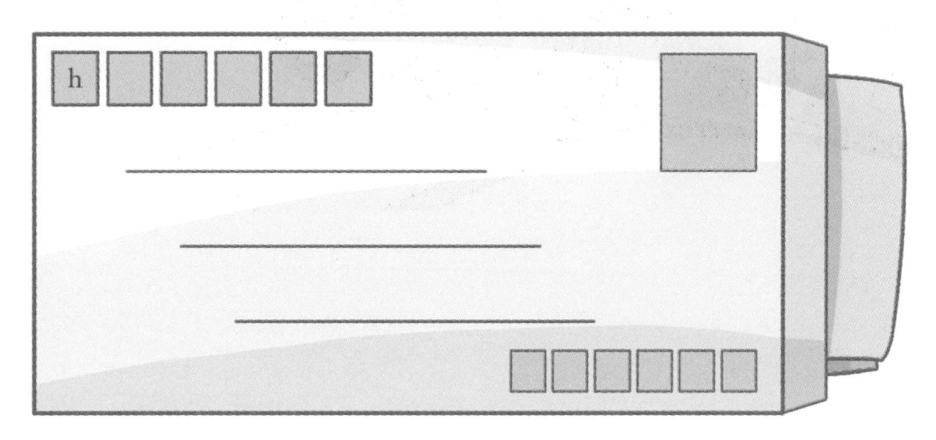

2. 给中国朋友写个信封。Write an envelope with a Chinese friend of yours as the receiver.

3. 朗读下列常用汉字，并组词。Read the common characters below and make words with them.

15-6

měi 美	xiāng/xiàng 相	jiàn 见	bèi 被	lì 利	shén 什	èr 二	děng 等	chǎn 产	huò 或
xīn 新	jǐ 己	zhì 制	shēn 身	guǒ 果	jiā 加	xī 西	sī 斯	yuè 月	huà 话
hé 合	huí 回	tè 特	dài 代	nèi 内	xìn 信	biǎo 表	huà 化	lǎo 老	gěi 给
shì 世	wèi 位	cì 次	dù 度	mén 门	rèn 任	cháng 常	xiān 先	hǎi 海	tōng 通
jiāo/jiào 教	ér 儿	yuán 原	dōng 东	shēng 声	tí 提	lì 立	jí 及	bǐ 比	yuán 员

8 Communicative activities 交际活动

1. 跟同伴分别扮演寄信人和邮递员，编一段8－10句的对话。Work in pairs to play the sender and a mailman. Make up a conversation with 8 – 10 sentences.

2. 说一件你或你的朋友粗心大意的事儿。Describe an experience in which you or your friend was careless.

Lesson 16

Qìchē de yánsè hé ānquán
汽车的颜色和安全
Car color and safety

Text 课文 借助生词表，快速浏览课文后回答问题：什么颜色的车最安全？为什么？

16-1

What color car is the safest? Why? Skim through the text with the help of the list of new words and then answer the question.

Yánjiū fāxiàn, qìchē de yánsè hé ānquán de guānxi hěn dà.
研究发现，汽车的颜色和安全的关系很大。

Báisè hé yínsè zuì ānquán, hóngsè、lánsè hé lǜsè bǐjiào ānquán, hēisè zuì bù ānquán. Zhè shì yīnwèi, qiǎn yánsè ràng rén juéde chē gèng kuān、gèng dà, bǐ shēn yánsè gèng néng yǐnqǐ rénmen de zhùyì.
白色和银色最安全，红色、蓝色和绿色比较安全，黑色最不安全。这是因为，浅颜色让人觉得车更宽、更大，比深颜色更能引起人们的注意。

Lìngwài, shēn yánsè hé dàolù huánjìng de yánsè jiējìn, yóuqí bàngwǎn hé yǔ tiān, bù róngyì bèi rén kàn qīngchu, bǐjiào róngyì fāshēng shìgù.
另外，深颜色和道路环境的颜色接近，尤其傍晚和雨天，不容易被人看清楚，比较容易发生事故。

Dāngrán, xíngchē ānquán, zuì zhòngyào de bú shì qìchē de yánsè, ér shì liánghǎo de kāi chē xíguàn.
当然，行车安全，最重要的不是汽车的颜色，而是良好的开车习惯。

Answer the questions 回答问题

1. Yánjiū fāxiànle shénme?
   研究发现了什么？
2. Shénme yánsè de qìchē zuì ānquán?
   什么颜色的汽车最安全？
3. Shénme yánsè de chē bǐjiào ānquán?
   什么颜色的车比较安全？
4. Shénme yánsè de qìchē zuì bù ānquán?
   什么颜色的汽车最不安全？
5. Wèi shénme qiǎn yánsè de qìchē bǐjiào ānquán?
   为什么浅颜色的汽车比较安全？
6. Wèi shénme shēn yánsè de qìchē bǐjiào róngyì fāshēng shìgù?
   为什么深颜色的汽车比较容易发生事故？
7. Xíngchē ānquán, zuì zhòngyào de shì shénme?
   行车安全，最重要的是什么？

2 New words 生词 16-2

1. 安全	ānquán	adj.	safe, secure
2. 关系	guānxi	n.	relation, relationship
3. 银色	yínsè	n.	silver, silvery
4. 宽	kuān	adj.	wide, broad
5. 引起	yǐnqǐ	v.	to cause, to arouse, to bring about
6. 注意	zhùyì	v.	attention
7. 道路	dàolù	n.	road, way, path
8. 接近	jiējìn	v.	to be close to, to approach
9. 尤其	yóuqí	adv.	especially, particularly
10. 傍晚	bàngwǎn	n.	towards evening, at dusk
11. 雨天	yǔ tiān		rainy day
12. 容易	róngyì	adj.	likely. apt
13. 发生	fāshēng	v.	to happen, to take place
14. 事故	shìgù	n.	accident, mishap
15. 行车	xíngchē	v.	to drive (a vehicle)
16. 而是	ér shì		but, but rather
17. 良好	liánghǎo	adj.	good, fine

3 Notes 注释

1. 深颜色和道路环境的颜色接近，尤其傍晚和雨天，不容易被人看清楚。

The adverb "尤其" indicates that someone or something stands out in a group or is more prominent compared with others. It is usually used in the latter part of a sentence.

2. 行车安全，最重要的不是汽车的颜色，而是良好的开车习惯。

In the structure "不是……而是……" (not…but…), "而" indicates a contrast with what was said before. The two clauses connected by "不是……而是……" contrast with each other in meaning.

4 Text retelling 复述课文

Yánjiū fāxiàn, qìchē de yánsè…….
研究发现，汽车的颜色……。

Báisè…… zuì ānquán, hóngsè…… bǐjiào ānquán, …… zuì bù ānquán. Zhè shì yīnwèi, qiǎn yánsè……, bǐ shēn yánsè gèng néng…….
白色……最安全，红色……比较安全，……最不安全。这是因为，浅颜色……，比深颜色更能……。

Lìngwài, shēn yánsè hé …… jiējìn, yóuqí……, bù róngyì……, bǐjiào róngyì…….
另外，深颜色和……接近，尤其……，不容易……，比较容易……。

Dāngrán, xíngchē ānquán, zuì zhòngyào de bú shì……, ér shì…….
当然，行车安全，最重要的不是……，而是……。

5 Text in English 译文

Research shows that there is a strong link between a car's color and safety.

White and silver are the safest colors, red, blue and green are relatively safe, while black is the least safe color. That's because light colors make the car feel broader and more spacious and seem more eye-catching than dark colors.

Besides, dark colors are more accident-prone as they are close to the color of the road and therefore are not obvious enough, especially in dusk or on rainy days.

Of course, the color of thc car is not the most important factor as far as safety is concerned, a good habit of driving is.

（一）尤其 16-3

1. **朗读下列句子，画出“尤其”后面的词语。** Read the sentences aloud and underline the words or phrases after“尤其”.

Shēn yánsè hé dàolù huánjìng de yánsè jiējìn, yóuqí bàngwǎn hé yǔ tiān, bù róngyì bèi rén kàn qīngchu.
（1）深颜色和道路环境的颜色接近，尤其傍晚和雨天，不容易被人看清楚。

Jiǔ hē de tài duō duì shēntǐ bù hǎo, yóuqí huì yǐngxiǎng dào xīnzàng jiànkāng.
（2）酒喝得太多对身体不好，尤其会影响到心脏健康。

Jiārén de yìjiàn, yóuqí shì bàba de yìjiàn, duì wǒ lái shuō hěn zhòngyào.
（3）家人的意见，尤其是爸爸的意见，对我来说很重要。

Xiànzài huánjìng wūrǎn hěn lìhai, yóuqí shì dà chéngshì.
（4）现在环境污染很厉害，尤其是大城市。

Yánjiū biǎomíng, báisè、huángsè、hóngsè sān zhǒng yánsè de huār zuì xiāng, yóuqí shì báisè de huār.
（5）研究表明，白色、黄色、红色三种颜色的花儿最香，尤其是白色的花儿。

2. **连线成句，然后朗读。** Draw lines to make sentences and then read the sentences aloud.

Ānni hěn xǐhuan Zhōngguó yīnyuè, （1）安妮很喜欢中国音乐，	yóuqí shì Chūn Jié. 尤其是春节。
Jiérì de shíhou rénmen xǐhuan fā duǎnxìn, （2）节日的时候人们喜欢发短信，	yóuqí shì zhōumò. 尤其是周末。
Mèimei de xuéxí chéngjì hěn hǎo, （3）妹妹的学习成绩很好，	yóuqí shì Zhōngguó chuántǒng yīnyuè. 尤其是中国传统音乐。
Zhège cāntīng rén hěn duō, （4）这个餐厅人很多，	yóuqí shì shùxué. 尤其是数学。

（二）不是……而是……  16-4

1. **朗读下列句子，画出“不是”和“而是”后面的词语。** Read the sentences aloud and underline the words or phrases after“不是”and“而是”respectively.

Xíngchē ānquán, zuì zhòngyào de bú shì qìchē de yánsè, ér shì liánghǎo de kāi chē xíguàn.
（1）行车安全，最重要的不是汽车的颜色，而是良好的开车习惯。

Lǚyóu zuì zhòngyào de bú shì qù nǎr, ér shì gēn shéi yìqǐ qù.
（2）旅游最重要的不是去哪儿，而是跟谁一起去。

Guānzhòng shuō, tāmen bú shì zài kàn yǎnchū de shíhou shuì jiào, ér shì zài shuì jiào de shíhou kàn yǎnchū.
（3）观众说，他们不是在看演出的时候睡觉，而是在睡觉的时候看演出。

Dàzìrán quēshǎo de bú shì měi, ér shì fāxiàn měi de yǎnjing.
（4）大自然缺少的不是美，而是发现美的眼睛。

Nǐ zuì xūyào de bú shì liú zhù tā de rén, ér shì liú zhù tā de xīn.
（5）你最需要的不是留住她的人，而是留住她的心。

2. **根据图片，用“不是……而是……”把两个句子合成一个句子，然后朗读。** Combine the two sentences into one using“不是……而是”based on each picture and then read the new sentences aloud.

Gēge bú shì chū guó liú xué. Gēge shì chū guó gōngzuò.
（1）哥哥不是出国留学。哥哥是出国工作。

Gēge bú shì chū guó liú xué, ér shì chū guó gōngzuò.
哥哥不是出国留学，而是出国工作。

Shāngchǎng wǔ céng bú shì cāntīng. Shāngchǎng wǔ céng shì diànyǐngyuàn.
（2）商场五层不是餐厅。商场五层是电影院。

Fángzū bú shì yí ge yuè fù yí cì. Fángzū yì nián fù yí cì.
（3）房租不是一个月付一次。房租一年付一次。

Bàba bú shì tài kùn le. Bàba bù xǐhuan kàn zhège diànyǐng.
（4）爸爸不是太困了。爸爸不喜欢看这个电影。

Supplementary new words 扩展生词

1. 心脏	xīnzàng	n.	heart
2. 对……来说	duì……lái shuō		for, to, as far as ... is concerned
3. 污染	wūrǎn	v.	to pollute
4. 厉害	lìhai	adj.	terrible, serious
5. 表明	biǎomíng	v.	to show, to make known
6. 香	xiāng	adj.	fragrant, scented, aromatic
7. 演出	yǎnchū	v.	to perform, to show
8. 大自然	dàzìrán	n.	nature, Mother Nature
9. 缺少	quēshǎo	v.	to lack, to be short of
10. 美	měi	adj.	beauty

7 Vocabulary and Chinese characters 学习词汇和汉字

1. 给相关词语连线。Match the ages, students and schools.

suì 3–6岁	yánjiūshēng bóshì 研究生（博士）	dàxué 大学
suì 6–12岁	xiǎoxuéshēng 小学生	zhōngxué chūzhōng 中学（初中）
suì 12–15岁	dàxuéshēng 大学生	xiǎoxué 小学
suì 15–18岁	yòu'ér 幼儿	yòu'éryuán 幼儿园
suì 18–22岁	yánjiūshēng shuòshì 研究生（硕士）	zhōngxué gāozhōng 中学（高中）
suì 22–25岁	zhōngxuéshēng chūzhōngshēng 中学生（初中生）	
suì 25–28岁	zhōngxuéshēng gāozhōngshēng 中学生（高中生）	

博士	Ph.D
小学生	primary school student
大学生	college student
幼儿	child
硕士	Master
初中生	junior high school student
高中生	senior high school student
初中	junior high school
小学	primary school
高中	senior high school

2. 用上面的词语问答。Ask and answer questions using the words above.

Example：（1）A: Jǐ suì shàng yòu'éryuán? 几岁 上 幼儿园？
B: Sān suì shàng yòu'éryuán. 3 岁 上 幼儿园。

（2）A: Shéi shì dàxuéshēng? 谁 是 大学生？
B: Gēge shì dàxuéshēng. 哥哥是 大学生。

3. 朗读下列汉字，然后根据共同部分给汉字分类，说说共同部分表示什么。Read the characters aloud, group them according to the common parts they have, and then talk about what the common parts indicate.

a. gēn 跟　b. niáng 娘　c. hěn 很　d. làng 浪　e. tuǐ 腿　f. tuì 退
g. yǎn 眼　h. liáng 良　i. kěn 恳　j. liáng 粮　k. gēn 根　l. yín 银

（1）跟 ______ ______ ______ ______ ______

（2）娘 ______ ______ ______

（3）退 ______

8 Communicative activities 交际活动

1. 跟同伴分别扮演销售员和顾客，销售员向顾客推销各种颜色的汽车，顾客说说自己为什么选择白色的汽车。Work in pairs to play a salesperson and a customer. The salesperson recommends cars of various colors to the customer and the customer tells the reasons why he/she chooses the white car.

2. 你买车的时候会选什么颜色？为什么？What color would you choose when buying a car? Why?

Lesson 17

Míngtiān bié lái le
明天别来了
Don't come tomorrow

Text 课文 借助生词表，快速浏览课文后回答问题：年轻人到底是做什么工作的？ 17-1

What was the young man's job? Skim through the text with the help of the list of new words and then answer the question.

Yǒu yì tiān, Zhāng lǎobǎn dào gōngchǎng jiǎnchá gōngzuò,
有一天，张老板到工厂检查工作，

kànjiàn yí ge niánqīngrén lǎnyángyáng de kào zài xiāngzi shang.
看见一个年轻人懒洋洋地靠在箱子上。

Zhāng lǎobǎn bùmǎn de wèn: "Nǐ yì zhōu zhèng duōshao qián?"
张老板不满地问："你一周挣多少钱？"

"Wǔbǎi yuán." Niánqīngrén qíguài de kànzhe tā.
"五百元。"年轻人奇怪地看着他。

Zhāng lǎobǎn náchū wǔbǎi yuán qián, yánsù de shuō:
张老板拿出五百元钱，严肃地说：

"Zhè shì nǐ yì zhōu de gōngzī, míngtiān nǐ bié lái le."
"这是你一周的工资，明天你别来了。"

Niánqīngrén shōuxià qián jiù zǒu le.
年轻人收下钱就走了。

"Tā zài zánmen chǎng gōngzuò duō cháng shíjiān le?" Zhāng lǎobǎn wèn pángbiān de gōngrén.
"他在咱们厂工作多长时间了？"张老板问旁边的工人。

"Tā bú shì zánmen chǎng de," gōngrén xiǎoxīn yìyì de shuō, "tā shì lái sòng kuàidì de."
"他不是咱们厂的，"工人小心翼翼地说，"他是来送快递的。"

Answer the questions 回答问题

Zhāng lǎobǎn qù gōngchǎng zuò shénme?
1. 张老板去工厂做什么？

Niánqīngrén zài zuò shénme?
2. 年轻人在做什么？

Zhāng lǎobǎn wèn niánqīngrén shénme?
3. 张老板问年轻人什么？

Niánqīngrén yì zhōu zhèng duōshao qián?
4. 年轻人一周挣多少钱？

Tīngle niánqīngrén de huídá, Zhāng lǎobǎn zuòle shénme?
5. 听了年轻人的回答，张老板做了什么？

Niánqīngrén shōudào qián hòu zuòle shénme?
6. 年轻人收到钱后做了什么？

Zhāng lǎobǎn wèn gōngrén shénme?
7. 张老板问工人什么？

Gōngrén shì zěnme huídá de?
8. 工人是怎么回答的？

New words 生词 17-2

1. 老板 lǎobǎn n. boss, proprietor
2. 工厂 gōngchǎng n. factory, mill, plant
3. 检查工作 jiǎnchá gōngzuò to inspect one's work
4. 懒洋洋 lǎnyángyáng adj. lazily, drowsily
5. 靠 kào v. to lean
6. 不满 bùmǎn adj. unsatisfied, discontented
7. 周 zhōu n. week
8. 挣 zhèng v. to earn, to make
9. 元 yuán m. *yuan*, unit of the Chinese currency
10. 严肃 yánsù adj. serious, solemn, stern
11. 工资 gōngzī n. pay, salary
12. 厂 chǎng n. factory, mill, plant
13. 工人 gōngrén n. worker
14. 小心翼翼 xiǎoxīn yìyì with great care, with extreme caution

Notes 注释

1. 一个年轻人懒洋洋地靠在箱子上。

The particle "地" is put between an adjective and a verb, with the adjective indicating the manner or state of the action or behavior denoted by the verb.

2. 明天你别来了。

The structure "别 + v. + 了" is used to discourage or prohibit somebody from doing something.

Text retelling 复述课文

Yǒu yì tiān, Zhāng lǎobǎn……, kànjiàn…… kào……. Zhāng lǎobǎn…… wèn: "Nǐ yì zhōu……?"
有一天，张老板……，看见……靠……。张老板……问："你一周……？"

"……." Niánqīngrén…….
"……。"年轻人……。

Zhāng lǎobǎn……, ……de shuō: "Zhè shì……, míngtiān……." Niánqīngrén…….
张老板……，……地说："这是……，明天……。"年轻人……。

"Tā zài……?" Zhāng lǎobǎn…….
"他在……？"张老板……。

"Tā bú shì……," gōngrén…… de shuō, "tā shì……."
"他不是……，"工人……地说，"他是……。"

Text in English 译文

One day, Mr. Zhang, the boss, came to the factory to inspect the work. He saw a young man leaning lazily against a box and doing nothing. "How much do you make weekly?" Mr. Zhang asked the young man in anger.

"500 *yuan*," the young man answered him, looking confused.

Mr. Zhang took out 500 *yuan* and gave the money to the young man: "This is your pay for the week. Don't come tomorrow". The young man took the money and went away.

"How long had he been working in our factory?" Mr. Zhang asked a worker beside there.

"He did not work here, sir", the worker answered hesitantly, "he is a courier".

（一）地 17-3

1. 朗读下列句子，画出“地”前面的形容词和后面的动词。Read the sentences aloud and underline the adjectives before “地” and the verbs after it.

Yí ge niánqīngrén lǎnyángyáng de kào zài xiāngzi shang.
（1）一个年轻人 懒洋洋 地靠在箱子 上。

Tāmen yí jiàn miàn jiù kāixīn de liáole qilai.
（2）他们一见 面就开心地聊了起来。

Tā yúkuài de jiēshòule wǒmen de yāoqǐng.
（3）她愉快地接受了我们的邀请。

Rènwu zhōngyú wánchéng le, wǒmen yīnggāi hǎohāor de xiūxi xiūxi.
（4）任务 终于 完成 了，我们 应该 好好儿地休息休息。

Wáng jīnglǐ gěi wǒmen jiǎndān de jièshàole yíxià gōngsī de qíngkuàng.
（5）王 经理给我们 简单地介绍了一下 公司的 情况。

2. 根据图片和提示词语，用“adj. + 地 + v.”完成句子，然后朗读。Complete the sentences with “adj. + 地 + v.” based on the pictures and the cue words and then read the sentences aloud.

Fángjiān tài luàn le, nǐ hǎohāor de dǎsǎo yíxià ba.
（1）房间 太乱了，你好好儿地打扫一下吧。 （hǎohāor 好好儿）

Lǎo Wáng shài tàiyang.
（2）老 王____________晒太阳。 （lǎnyángyáng 懒洋洋）

Tīngle tā de huà, nǚháir
（3）听了他的话，女孩儿____________。 （gāoxìng 高兴）

Jiějie “Wǒ de yǎnjìng shì nǐ shuāihuài de ma?”
（4）姐姐____________：“我的眼镜是你 摔坏 的吗？” （shēng qì 生 气）

Nà wèi nǚshì “Wǒ bù zhīdào.”
（5）那位女士____________：“我不知道。” （lěngbīngbīng 冷冰冰）

（二）别 + v. + 了 17-4

1. 朗读下列句子，画出“别”后面的词语。Read the sentences aloud and underline the words or phrases after “别”.

Míngtiān nǐ bié lái le.
（1）明天 你别来了。

Nǐ bié děng le, tā kěndìng bú huì lái le.
（2）你别 等了，她肯定 不会来了。

Nǐ bié zǒu le, jiù zài zhèr chī ba.
（3）你别走了，就在这儿吃吧。

Bié nánguò le, tā de bìng huì hǎo qilai de.
（4）别 难过了，他的病 会好起来的。

Chū mén qián, bié wàngle guān dēng.
（5）出 门 前，别忘了 关 灯。

2. 用“别 + v. + 了”描述图片。Describe the pictures using “别 + v. + 了”.

Nǐ bié kū le.
你别哭了。 __________ __________ __________ __________

Supplementary new words 扩展生词

1. 愉快	yúkuài	adj.	happy, glad
2. 接受	jiēshòu	v.	to accept, to take
3. 邀请	yāoqǐng	v.	to invite
4. 任务	rènwu	n.	task, mission
5. 好好儿	hǎohāor	adv.	all out, to one's heart's content
6. 情况	qíngkuàng	n.	situation, condition
7. 肯定	kěndìng	adv.	doubtless, certain, sure
8. 难过	nánguò	adj.	sad, distressed
9. 出门	chū mén	v.	to go out
10. 关灯	guān dēng		to turn off a light

7 Vocabulary and Chinese characters 学习词汇和汉字

1. 朗读下列词语，然后为它们选择相应的图片。Read the words aloud and then write them beside the right pictures.

(1) a. 愉快 yúkuài　b. 无聊 wúliáo　c. 惊喜 jīngxǐ　d. 奇怪 qíguài　e. 紧张 jǐnzhāng

(2) a. 满意 mǎnyì　b. 兴奋 xīngfèn　c. 难过 nánguò　d. 着急 zháojí　e. 冷冰冰 lěngbīngbīng

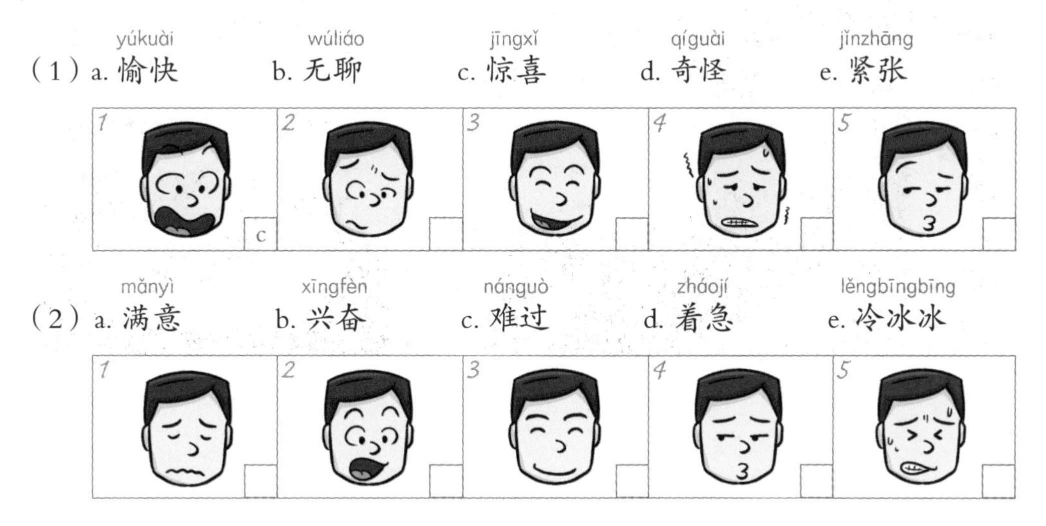

2. 用上面的词语问答。Ask and answer questions using the words above.

Example: A: 你什么时候觉得很愉快？(Nǐ shénme shíhou juéde hěn yúkuài?)

B: 我学汉语的时候觉得很愉快。(Wǒ xué Hànyǔ de shíhou juéde hěn yúkuài.)

3. 给下列汉字加上拼音并朗读，然后画出各组汉字中不同的部分。Write down the *pinyin* of the characters and read them aloud. Then look at each group or pair of characters and mark their differences.

(1) 比 (bǐ)　北

(2) 弟　第

(3) 处　外　名　多

(4) 为　办

8 Communicative activities 交际活动

1. 三人一组，分别扮演经理、快递员和工人，编一段8－10句的对话。Work in groups of three to play the boss, the courier and the worker. Make up a conversation with 8 – 10 sentences.

2. 说说你一天的生活。(用上"adj. + 地 + v."，如"我今天早上早早儿地就起床了。") Talk about your activity in a day. (Use the structure "adj. + 地 + v.", for example, "我今天早上早早儿地就起床了。(I got up early this morning)".)

Gǒubùlǐ

Lesson 18 狗不理

Goubuli, Go Believe

Text 课文 借助生词表，快速浏览课文后回答问题：人们为什么喜欢买“狗不理”包子？ 18-1

Why did people like to buy steamed stuffed buns of “Go Believe”? Skim through the text with the help of the list of new words and then answer the question.

Tiānjīn de “Gǒubùlǐ” bāozi diàn yǐjīng yǒu yìbǎi duō nián de lìshǐ le.
天津的“狗不理”包子店已经有一百多年的历史了。

Chuánshuō, diànzhǔ jiào Gāo Guìyǒu, xiǎomíng jiào “Gǒuzi”. Gǒuzi zuò de bāozi yòu hǎochī yòu hǎokàn, hái hěn piányi.
传说，店主叫高贵友，小名叫“狗子”。狗子做的包子又好吃又好看，还很便宜。

Diàn li de gùkè tài duō le, tā máng jí le, zhǐhǎo ràng gùkè bǎ qián fàng zài zhuōzi shang, tā gēnjù qiánshù gěi bāozi.
店里的顾客太多了，他忙极了，只好让顾客把钱放在桌子上，他根据钱数给包子。

Yīnwèi tài máng, tā méiyǒu shíjiān gēn gùkè shuō huà, rénmen jiù kāi wánxiào shuō: “Gǒuzi mài bāozi, shéi dōu bù lǐ.” Hòulái, tā jiā de bāozi jiù bèi jiàozuò “Gǒubùlǐ” le.
因为太忙，他没有时间跟顾客说话，人们就开玩笑说：“狗子卖包子，谁都不理。”后来，他家的包子就被叫作“狗不理”了。

Answer the questions 回答问题

1. “Gǒubùlǐ” bāozi diàn de lìshǐ yǒu duō cháng?
   “狗不理”包子店的历史有多长？
2. Diànzhǔ jiào shénme? Xiǎomíng jiào shénme?
   店主叫什么？小名叫什么？
3. Gāo Guìyǒu zuò de bāozi yǒu shénme tèdiǎn?
   高贵友做的包子有什么特点？
4. Tā wèi shénme máng bu guòlái?
   他为什么忙不过来？
5. Tā zěnme mài bāozi?
   他怎么卖包子？
6. Tā wèi shénme méiyǒu shíjiān gēn gùkè shuō huà?
   他为什么没有时间跟顾客说话？
7. Rénmen wèi shénme bǎ Gāo Guìyǒu de bāozi jiàozuò “Gǒubùlǐ”?
   人们为什么把高贵友的包子叫作“狗不理”？

2 New words 生词 18-2

1. 店 diàn n. shop, store
2. 已经 yǐjīng adv. already
3. 传说 chuánshuō v. it is said, they say
4. 小名 xiǎomíng n. pet name (for a child), childhood name
5. 顾客 gùkè n. customer, client
6. 只好 zhǐhǎo adv. cannot but, have to
7. 钱数 qiánshù amount of money
8. 开玩笑 kāi wánxiào to joke, to make fun of, to be kidding
   玩笑 wánxiào n. joke, jest
9. 理 lǐ v. (*usu. used in the negative*) to pay attention to
10. 后来 hòulái n. afterwards, later, since then
11. 叫作 jiàozuò v. to be called

Proper nouns 专有名词

1. 天津 Tiānjīn Tianjin, a city in China
2. 狗不理 Gǒubùlǐ Go Believe, a brand of steamed stuffed buns
3. 高贵友 Gāo Guìyǒu Gao Guiyou, the founder of Go Believe
4. 狗子 Gǒuzi Gouzi, a nickname

3 Notes 注释

1. 狗子做的包子又好吃又好看，还很便宜。

   The adverb "还" introduces a supplement to what was said before.

2. 他只好让顾客把钱放在桌子上。

   The adverb "只好" indicates that there is no other choice.

4 Text retelling 复述课文

Tiānjīn de "Gǒubùlǐ" bāozi diàn yǐjīng…….
天津的"狗不理"包子店已经……。

Chuánshuō, diànzhǔ jiào……, xiǎomíng……. Gǒuzi zuò de bāozi……, hái…….
传说，店主叫……，小名……。狗子做的包子……，还……。

Diàn li de gùkè……, tā……, zhǐhǎo ràng……, tā gēnjù…….
店里的顾客……，他……，只好让……，他根据……。

Yīnwèi……, tā méiyǒu shíjiān……, rénmen…… shuō: "Gǒuzi……, …….." Hòulái, tā jiā de bāozi…….
因为……，他没有时间……，人们……说："狗子……，……。"后来，他家的包子……。

5 Text in English 译文

Go Believe, or *Goubuli* (literally "dog ignores"), is an over 100-year-old brand store serving steamed stuffed buns in Tianjin, China.

It is said that Gao Guiyou, the original owner of the shop, was nicknamed "Gouzi" (literally "dog"). The steamed stuffed buns made by Gouzi were both delicious and nice-looking, and Gouzi sold them at a fairly low price.

Having too many customers in the shop, Gouzi had to ask them to put money on the table so he could serve them buns according to the amount of money they gave.

Gouzi was too busy to talk with his customers, so they made a joke about it, saying "Gouzi speaks to nobody. He is always busy selling his buns." After that, Gouzi's steamed stuffed buns have been called "*Goubuli*".

（一）还 18-3

1. 朗读下列句子，画出“还”后面的词语。 Read the sentences aloud and underline the words or phrases after“还”.

Gǒuzi zuò de bāozi yòu hǎochī yòu hǎokàn, hái hěn piányi.
（1）狗子做的包子又好吃又好看，还很便宜。

Běijīng de chūntiān jīngcháng guā fēng, hái hěn gānzào.
（2）北京的春天经常刮风，还很干燥。

Zhè zhǒng diàochá fāngfǎ yòu kuài yòu zhǔnquè, hái hěn jiǎndān.
（3）这种调查方法又快又准确，还很简单。

Jīntiān wǒ dì yī cì kāi chē, yòu jǐnzhāng yòu xīngfèn, hái yǒudiǎnr hàipà.
（4）今天我第一次开车，又紧张又兴奋，还有点儿害怕。

Liú lǎoshī yòu gāo yòu shuài, hái hěn yōumò, xuéshengmen dōu hěn xǐhuan tā.
（5）刘老师又高又帅，还很幽默，学生们都很喜欢他。

2. 用“还”组句，然后朗读。 Make sentences with “还” and then read the sentences aloud.

nàge fángzi kuānchang piàoliang bú guì
（1）那个房子 宽敞 漂亮 不贵
Nàge fángzi kuānchang piàoliang, hái bú guì.
那个房子宽敞漂亮，还不贵。

huì tán gāngqín huì lā xiǎotíqín Ānni
（2）会弹钢琴 会拉小提琴 安妮

zhè shuāng xié hěn shūfu yòu hǎokàn yòu piányi
（3）这双鞋 很舒服 又好看又便宜

gōngzī bù gāo zhège gōngzuò hěn xīnkǔ
（4）工资不高 这个工作 很辛苦

tā huì chàng jīngjù yě xǐhuan tīng xiàngsheng xiǎng xué tàijíquán
（5）他 会唱京剧 也喜欢听相声 想学太极拳

（二）只好 18-4

1. 朗读下列句子，画出“只好”后面的词语。 Read the sentences aloud and underline the words or phrases after“只好”.

Tā zhǐhǎo ràng gùkè bǎ qián fàng zài zhuōzi shang.
（1）他只好让顾客把钱放在桌子上。

Míngtiān yǒu dà yǔ, yùndònghuì zhǐhǎo tuīchí le.
（2）明天有大雨，运动会只好推迟了。

Tāmen zài yìqǐ zǒngshì chǎo jià, zhǐhǎo fēn shǒu le.
（3）他们在一起总是吵架，只好分手了。

Lù shang chē tài duō le, néng bu néng gǎnshang fēijī, wǒ zhǐhǎo tīng tiān yóu mìng le.
（4）路上车太多了，能不能赶上飞机，我只好听天由命了。

Xīyī méi zhìhǎo wǒ de bìng, wǒ zhǐhǎo qù kàn zhōngyī.
（5）西医没治好我的病，我只好去看中医。

2. 根据图片，选择合适的词语，用“只好”完成句子，然后朗读。 Complete the sentences using “只好” and the right phrases based on the pictures and then read the sentences aloud.

zǒu shangqu / qù dú yánjiūshēng / zǒu lù qù xuéxiào / zài jiā xiūxi / děng qīzi huílai kāi mén
a. 走上去　b. 去读研究生　c. 走路去学校　d. 在家休息　e. 等妻子回来开门

Tā shòushāng le, zhǐhǎo zài jiā xiūxi
（1）他受伤了，只好在家休息。

Zhàngfu wàngle dài yàoshi
（2）丈夫忘了带钥匙，______。

Tā méiyǒu zhǎodào lǐxiǎng de gōngzuò
（3）她没有找到理想的工作，______。

Diàntī huài le, Lǎo Lǐ
（4）电梯坏了，老李______。

Wǒ de zìxíngchē huài le, wǒ
（5）我的自行车坏了，我______。

Supplementary new words 扩展生词

18-5

1. 干燥 gānzào adj. dry, arid
2. 调查 diàochá v. to investigate, to survey
3. 准确 zhǔnquè adj. accurate, precise
4. 害怕 hàipà v. to be afraid, to fear
5. 帅 shuài adj. handsome
6. 运动会 yùndònghuì n. sports meeting
7. 推迟 tuīchí v. to put off, to postpone
8. 分手 fēn shǒu v. to break up, to say good-bye
9. 赶上 gǎnshang v. to catch up with
10. 听天由命 tīng tiān yóu mìng to resign oneself to one's luck, to trust to luck
11. 西医 xīyī n. Western medicine
12. 治 zhì v. to treat (a disease), to cure
13. 看 kàn v. to treat an illness
14. 中医 zhōngyī n. Chinese medicine

7 Vocabulary and Chinese characters 学习词汇和汉字

1. 朗读下列词语，然后为它们选择相应的图片。Read the words aloud and then write them beside the right pictures.

a. 服务员 fúwùyuán　b. 厨师 chúshī　c. 警察 jǐngchá　d. 老师 lǎoshī　e. 律师 lǜshī　f. 秘书 mìshū
g. 司机 sījī　h. 记者 jìzhě　i. 邮递员 yóudìyuán　j. 工人 gōngrén　k. 护士 hùshi (nurse)

2. 说说你家人的职业。Talk about the occupations of your family members.

Example：我姐姐是服务员。
Wǒ jiějie shì fúwùyuán.

3. 朗读下列词语，然后根据"快"的意思，给词语分类。Read the words aloud and then group them according to the meanings of "快".

a. 快 kuài　b. 凉快 liángkuai　c. 快递 kuàidì　d. 快乐 kuàilè　e. 赶快 gǎnkuài　f. 愉快 yúkuài

（1）快 ________ ________　（2）快乐 ________ ________

8 Communicative activities 交际活动

1. 三四人一组，分别扮演导游和游客，导游给顾客介绍狗不理包子店的历史，游客询问，导游回答。Work in groups of three or four to play a tour guide and tourists. The tour guide introduces the history of the brand Go Believe to the tourists and answers the questions raised by the tourists.

2. 说说你们国家有名的餐厅的故事，比如有名的比萨店、快餐厅、寿司店、拉面馆儿、烧烤店，等等。（尽量用上"还"和"只好"）Tell the story about one of the famous restaurants in your country, for example, a well-known pizza shop, fast food restaurant, sushi restaurant, noodle shop or grill house, etc. (Try to use "还" and "只好".)

Lesson 19

Bùgǎn shuō

不敢说

I dare not say

Text 课文

借助生词表，快速浏览课文后回答问题：小李去了几次医院？  19-1

How many times did Xiao Li go to the hospital? Skim through the text with the help of the list of new words and then answer the question.

Xiǎo Lǐ sǎngzi téng, dào yīyuàn kàn bìng. Dàifu rènzhēn jiǎnchá hòu shuō: "Biǎntáotǐ fāyán le, zuìhǎo qiēchú." Tā tīngle dàifu de jiànyì, zuòle shǒushù, bǎ biǎntáotǐ qiēdiào le.

小李嗓子疼，到医院看病。大夫认真检查后说："扁桃体发炎了，最好切除。"他听了大夫的建议，做了手术，把扁桃体切掉了。

Guòle bàn nián, Xiǎo Lǐ dùzi téng de shòu bu liǎo, yòu qù zhǎo dàifu. Dàifu shuō: "Mángcháng fāyán le, bìxū qiēchú!" Tā tīngle dàifu de jiànyì, bǎ mángcháng yě qiēdiào le.

过了半年，小李肚子疼得受不了，又去找大夫。大夫说："盲肠发炎了，必须切除！"他听了大夫的建议，把盲肠也切掉了。

Yòu guòle bàn nián, Xiǎo Lǐ yòu qù zhǎo dàifu. Dàifu wèn: "Nǐ yòu zěnme le?" Tā xiǎo shēng shuō: "Wǒ bùgǎn gēn nín shuō." "Nǐ dàodǐ zěnme le?" "Wǒ…… wǒ tóu téng!"

又过了半年，小李又去找大夫。大夫问："你又怎么了？"他小声说："我不敢跟您说。""你到底怎么了？""我……我头疼！"

Answer the questions 回答问题

1. Dì-yī cì, Xiǎo Lǐ wèi shénme dào yīyuàn kàn bìng?
   第一次，小李为什么到医院看病？
2. Dàifu zuòle shénme、shuōle shénme?
   大夫做了什么、说了什么？
3. Tīngle dàifu de huà, Xiǎo Lǐ zuòle shénme?
   听了大夫的话，小李做了什么？
4. Guòle bàn nián, Xiǎo Lǐ wèi shénme yòu qù zhǎo dàifu?
   过了半年，小李为什么又去找大夫？
5. Dàifu shuō shénme? Xiǎo Lǐ zěnmeyàng?
   大夫说什么？小李怎么样？
6. Yòu guòle bàn nián, Xiǎo Lǐ wèi shénme yòu qù zhǎo dàifu?
   又过了半年，小李为什么又去找大夫？
7. Dàifu wèn Xiǎo Lǐ shénme?
   大夫问小李什么？
8. Xiǎo Lǐ zěnme huídá?
   小李怎么回答？
9. Xiǎo Lǐ dàodǐ zěnme le?
   小李到底怎么了？

2 New words 生词 19-2

1. 看病	kàn bìng	v.	(of a patient) to see a doctor
2. 认真	rènzhēn	adj.	serious, earnest, conscientious
3. 扁桃体	biǎntáotǐ	n.	tonsil
4. 发炎	fāyán	v.	to be inflamed, to have an inflammation
5. 切除	qiēchú	v.	to remove, to excise, to resect
6. 建议	jiànyì	n.	to suggest, to advise
7. 手术	shǒushù	n.	operation, surgery
8. 切	qiē	v.	to cut, to chop, to slice
9. 受不了	shòu bu liǎo		cannot stand or bear
10. 盲肠	mángcháng	n.	blind gut, cecum
11. 必须	bìxū	adv.	must, have to
12. 小声	xiǎo shēng		in a low voice
13. 不敢	bùgǎn	v.	dare not
14. 跟	gēn	prep.	to

3 Notes 注释

1. 盲肠发炎了，必须切除！

The adverb "必须" means "must", "have to". Its negative form is "不必" (búbì, unnecessary).

2. 我不敢跟您说。

The preposition "跟" indicates that the noun or pronoun following it is the recipient of the action denoted by the verb. It is usually used in colloquial language.

4 Text retelling 复述课文

Xiǎo Lǐ……, dào……. Dàifu…… shuō: "Biǎntáotǐ……, zuìhǎo……." Tā tīngle……, zuòle……, bǎ…….

小李……，到……。大夫……说："扁桃体……，最好……。"他听了……，做了……，把……。

Guòle……, Xiǎo Lǐ……, yòu qù……. Dàifu shuō: "Mángcháng……, bìxū……!" Tā tīngle……, bǎ…….

过了……，小李……，又去……。大夫说："盲肠……，必须……！"他听了……，把……。

Yòu guòle……, Xiǎo Lǐ……. Dàifu wèn: "Nǐ……?" Tā……: "Wǒ……." "Nǐ dàodǐ……?" "Wǒ……!"

又过了……，小李……。大夫问："你……？"他……："我……。""你到底……？""我……！"

5 Text in English 译文

Xiao Li had a sore throat and went to see a doctor. After a careful examination, the doctor said to him: "You have tonsillitis. You'd better have your tonsils removed." Xiao Li took the doctor's advice and had a tonsillectomy.

Half a year later, Xiao Li had a bad stomachache and went to the doctor again. The doctor told him that he had typhlitis and needed to have his cecum removed. He took the doctor's advice and had a cecectomy as well.

Another half year had passed before Xiao Li went to the doctor again. "What's the matter with you this time?" the doctor asked him. "I dare not tell you," Xiao Li murmured. "What on earth is your problem?" "I'm having a…a headache!"

（一）必须 19-3

1. 朗读下列句子，画出“必须”或“不必”后面的动词或短语。Read the following sentences aloud and underline the verbs or phrases after “必须” and “不必”.

Mángcháng fāyán le, bìxū qiēchú!
（1）盲肠发炎了，必须切除！

Měi ge rén dōu bìxū zūnshǒu fǎlǜ.
（2）每个人都必须遵守法律。

Zuìjìn wǒ yòu zhǎngle wǔ jīn, bìxū jiǎn féi le.
（3）最近我又长了五斤，必须减肥了。

Jīntiān de kǎoshì hěn jiǎndān, búbì jǐnzhāng.
（4）今天的考试很简单，不必紧张。

Lí dēngjī shíjiān hái zǎo ne, nǐ búbì zháojí.
（5）离登机时间还早呢，你不必着急。

2. 根据图片，用“必须/不必 + v.”完成句子，然后朗读。Complete the sentences with “必须/不必 + v.” based on the pictures and then read the sentences aloud.

1 2 3 4 5

Yǐjīng shí'èr diǎn le, wǒ bìxū shuì jiào le.
（1）已经 12 点了，我必须睡觉了。

Nǐ fā shāo le,
（2）你发烧了，________。

Zuò fēijī de shíhou,
（3）坐飞机的时候，________。

Wǒmen hěn kuài jiù dào huǒchēzhàn le, nǐ
（4）我们很快就到火车站了，你________。

Míngnián wǒmen hái huì zài jiàn miàn de, nǐ
（5）明年我们还会再见面的，你________。

（二）跟 19-4

1. 朗读下列句子，画出“跟”后面的名词或代词。Read the sentences aloud and underline the nouns or pronouns after “跟”.

Wǒ bùgǎn gēn nín shuō.
（1）我不敢跟您说。

Zhè jiàn shì Xiǎo Liú gēn wǒ shuōguo, kěshì wǒ wàng le.
（2）这件事小刘跟我说过，可是我忘了。

Zhège wèntí bǐjiào fùzá, wǒ děi gēn nǐmen jiěshì yíxià.
（3）这个问题比较复杂，我得跟你们解释一下。

Nǐ gēn dàjiā jièshào jièshào wǎng shàng gòuwù de jīngyàn ba.
（4）你跟大家介绍介绍网上购物的经验吧。

Wǒmen qù gēn nà wèi xīn lái de tóngshì dǎ ge zhāohu ba.
（5）我们去跟那位新来的同事打个招呼吧。

2. 把“跟”放入句中正确的位置，然后朗读。Put “跟” in the right positions and then read the sentences aloud.

kuài wǒ shuōshuo nǐ xué Hànyǔ de hǎo fāngfǎ ba.
（1）__a__快__b__我说说__c__你学汉语的好方法吧。（ b ）

dàjiā shuōshuo nǐ huí guó hòu de dǎsuàn ba.
（2）__a__大家__b__说说__c__你回国后的打算吧。（ ）

lǎoshī tóngxuémen jiǎngle jiǎng zěnme chá Hànyǔ cídiǎn.
（3）__a__老师__b__同学们讲了讲__c__怎么查汉语词典。（ ）

nǐ yǒu shíjiān ma? wǒ xiǎng nǐ shuō jiàn shì.
（4）__a__你有时间吗？__b__我想__c__你说件事。（ ）

wǒ lái dàjiā jièshào yíxià, zhè wèi shì Wáng lǜshī.
（5）__a__我来__b__大家介绍一下，这位是__c__王律师。（ ）

Supplementary new words 扩展生词

19-5

1. 遵守 zūnshǒu v. to observe, to abide by
2. 法律 fǎlǜ n. law, statute
3. 减肥 jiǎn féi v. to lose weight, to slim
4. 不必 búbì adv. need not, not have to, not necessary
5. 登机 dēngjī v. to board an airplane
6. 复杂 fùzá adj. complex, complicated
7. 解释 jiěshì v. to explain, to make clear
8. 经验 jīngyàn n. experience (*uncountable*)
9. 新 xīn adv. newly, just
10. 打招呼 dǎ zhāohu to say hello, to greet

    招呼 zhāohu v. say hello to (somebody), greet (somebody)

7 Vocabulary and Chinese characters 学习词汇和汉字

1. 朗读下列词语，然后为它们选择相应的图片。Read the words aloud and then write them beside the right pictures.

a. 发烧 (fā shāo) b. 感冒 (gǎnmào) c. 伤 (shāng) d. 疼 (téng) e. 发炎 (fāyán) f. 生病 (shēng bìng)

g. 住院 (zhù yuàn) h. 手术 (shǒushù) i. 大夫 (dàifu) j. 药 (yào) k. 西医 (xīyī) l. 中医 (zhōngyī)

2. 用上面的词语问答。Ask and answer questions using the words above.

Example：A: 你怎么了？(Nǐ zěnme le?)

B: 我发烧了。(Wǒ fā shāo le.)

3. 朗读下列词语，说说各组"机"前面的词有什么共同点。Read the words aloud and talk about the similarities between the words before "机".

（1）手机 (shǒujī) 耳机 (ěrjī)

（2）照相机 (zhàoxiàngjī) 洗衣机 (xǐyījī)（washing machine）

（3）司机 (sījī) 关机 (guānjī) 登机 (dēngjī)

8 Communicative activities 交际活动

1. 跟同伴分别扮演病人和医生，编一段8–10句的对话。Work in pairs to play the patient and the doctor. Make up a conversation with 8–10 sentences.

2. 介绍一次你印象深刻的看病经历，或者听到的看病的故事。Describe an unforgettable experience you had when you went to see a doctor or tell a doctor-patient story you've heard.

Lesson 20

Shùzì Zhōngguó

数字中国

Numbers in China

1 Text 课文 借助生词表，快速浏览课文后回答问题：中国的第一大河是什么河？  20-1

Which is the longest river in China? Skim through the text with the help of the list of new words and then answer the question.

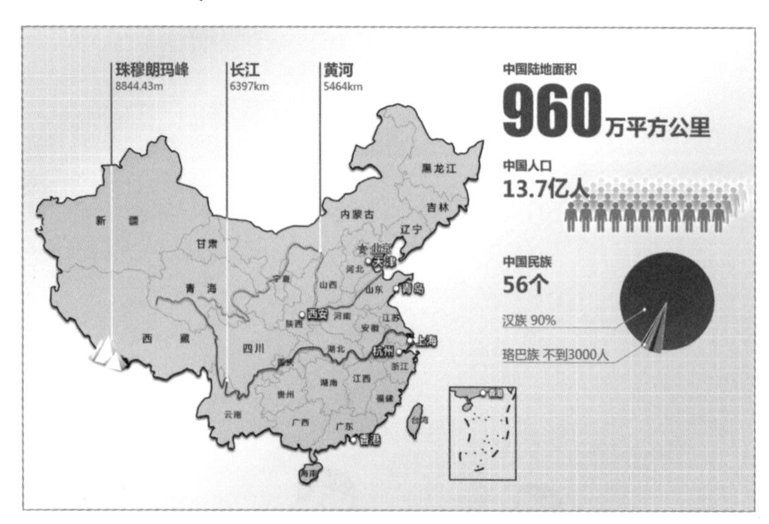

Zhōngguó zài Yàzhōu dōngbù, lùdì miànjī jiǔbǎi liùshí wàn píngfāng gōnglǐ.
中国在亚洲东部，陆地面积960万平方公里。

Cháng Jiāng shì Zhōngguó dì-yī dà hé, shìjiè dì-sān dà hé, cháng liùqiān sānbǎi jiǔshíqī gōnglǐ. Huáng Hé shì Zhōngguó dì-èr dà hé, shìjiè dì-wǔ dà hé, cháng wǔqiān sìbǎi liùshísì gōnglǐ.
长江是中国第一大河，世界第三大河，长6397公里。黄河是中国第二大河，世界第五大河，长5464公里。

Zhūmùlǎngmǎ Fēng gāo bāqiān bābǎi sìshísì diǎn sì sān mǐ, shì Zhōngguó zuì gāo de shānfēng, yě shì shìjiè zuì gāo de shānfēng.
珠穆朗玛峰高8844.43米，是中国最高的山峰，也是世界最高的山峰。

Dào èr líng yī líng nián Shíyīyuè yī rì, Zhōngguó zǒngrénkǒu dá shísān diǎn qī yì rén. Zhōngguó shì duōmínzú guójiā, yǒu wǔshíliù ge mínzú. Hànzú rénkǒu zuì duō, zhàn quánguó zǒngrénkǒu de bǎi fēnzhī jiǔshí yǐshàng, Luòbāzú rénkǒu zuì shǎo, hái bú dào sānqiān rén.
到2010年11月1日，中国总人口达13.7亿人。中国是多民族国家，有56个民族。汉族人口最多，占全国总人口的90%以上，珞巴族人口最少，还不到3000人。

Answer the questions 回答问题

1. Zhōngguó zài nǎr?
   中国在哪儿？
2. Zhōngguó de lùdì miànjī yǒu duō dà?
   中国的陆地面积有多大？
3. Cháng Jiāng yǒu duō cháng?
   长江有多长？
4. Huáng Hé yǒu duō cháng?
   黄河有多长？
5. Zhūmùlǎngmǎ Fēng yǒu duō gāo?
   珠穆朗玛峰有多高？
6. Zhōngguó zǒngrénkǒu yǒu duōshao?
   中国总人口有多少？
7. Zhōngguó yǒu duōshao ge mínzú?
   中国有多少个民族？
8. Zhōngguó nǎge mínzú rénkǒu zuì duō? Zhàn quánguó zǒngrénkǒu de duōshao?
   中国哪个民族人口最多？占全国总人口的多少？
9. Zhōngguó nǎge mínzú rénkǒu zuì shǎo? Yǒu duōshao rén?
   中国哪个民族人口最少？有多少人？

New words 生词 20-2

1. 数字 shùzì n. number
2. 东部 dōngbù n. east, eastern part
3. 陆地 lùdì n. land
4. 平方公里 píngfāng gōnglǐ square kilometer
   公里 gōnglǐ m. kilometer
5. 河 hé n. river
6. 长 cháng n. length
7. 高 gāo n. height
8. 米 mǐ m. meter
9. 山峰 shānfēng n. mountain peak
10. 总人口 zǒngrénkǒu total population
    总 zǒng adj. overall, total
    人口 rénkǒu n. population
11. 多民族 duōmínzú multi-ethnic
    民族 mínzú n. nationality, ethnic group
12. 占 zhàn v. to constitute, to take, to make up
13. 全国 quánguó of the whole nation or country, national
    全 quán adj. whole, entire, all
14. 以上 yǐshàng n. above, over, more than

Proper nouns 专有名词

1. 亚洲 Yàzhōu Asia
2. 长江 Cháng Jiāng Yangtze River
3. 黄河 Huáng Hé Yellow River
4. 珠穆朗玛峰 Zhūmùlǎngmǎ Fēng Mount Qomolangma, the Chinese name of Mount Everest
5. 汉族 Hànzú Han nationality
6. 珞巴族 Luòbāzú Lhoba nationality

3 Notes 注释

1. 珠穆朗玛峰高8844.43米。

Numbers above 100 are read in Chinese as follows. 123 is read "yìbǎi èrshísān", 6,666 is read "liùqiān liùbǎi liùshíliù", 88,888 is read "bā wàn bāqiān bābǎi bāshíbā", and "123456789" is read "yí yì liǎngqiān sānbǎi sìshíwǔ wàn liùqiān qībǎi bāshíjiǔ".

When reading a decimal in Chinese, read the integer part first, then the "." and at last the decimal part, which is read single digit by single digit. For instance, 8844.43 is read "bāqiān bābǎi sìshísì diǎn sì sān".

2. 汉族人口最多，占全国总人口的90%以上。

When reading a percentage in Chinese, read the percentage sign (%) first, and then the number before it. For example, 90% is read "bǎi fēnzhī jiǔshí".

Text retelling 复述课文

Zhōngguó zài……, lùdì miànjī…….
中国在……，陆地面积……。

Cháng Jiāng shì Zhōngguó……, shìjiè……, cháng…….
长江是中国……，世界……，长……。

Huáng Hé shì……,……, cháng…….
黄河是……，……，长……。

Zhūmùlǎngmǎ Fēng gāo……, shì……, yě shì…….
珠穆朗玛峰高……，是……，也是……。

Dào…… rì, Zhōngguó zǒngrénkǒu dá ……rén.
到……日，中国总人口达……人。

Zhōngguó shì……, yǒu…… ge mínzú. ……rénkǒu zuì duō, zhàn……, Luòbāzú……, hái bú dào…….
中国是……，有……个民族。……人口最多，占……，珞巴族……，还不到……。

Text in English 译文

China, located in East Asia, has a total land area of 9.6 million square kilometers.

The Yangtze River is 6,397 kilometers long. It is the longest river in China and the third longest river in the world. The Yellow River is 5,464 kilometers long. It is the second longest river in China and the fifth longest river in the world. Mount Qomolangma (Everest) is 8,844.43 meters high. It is China's as well as the Earth's highest mountain.

By November 1st, 2010, the population of China had reached 1 billion 370 million. As a multi-ethnic country, China has altogether 56 ethnic nationalities. The biggest nationality is Han, accounting for over 90% of the total population, and the smallest nationality is Lhoba, with a population of less than 3,000.

（一）“百”以上的数字和小数  20-3

1. 朗读下列句子，画出数字。Read the sentences aloud and underline the numbers.

Zhūmùlǎngmǎ Fēng gāo bāqiān bābǎi sìshísì diǎn sì sān (bāqiān bābǎi sìshísì diǎn sì sān) mǐ.
（1）珠穆朗玛 峰 高 8844.43（八千八百四十四点四三）米。

Qīngdǎo Jiāozhōu Wān Dàqiáo cháng sìshíyī diǎn wǔ bā gōnglǐ, shì shìjiè shang zuì cháng de qiáo.
（2）青岛 胶州 湾 大桥 长 41.58 公里，是世界上 最 长 的桥。

Quán shìjiè měi nián yào yòng yī diǎn èr wàn yì ge sùliàodài, měi fēnzhōng yào yòng yìbǎi wàn ge.
（3）全 世界每 年 要 用 1.2 万亿个塑料袋，每 分钟 要 用 100 万 个。

Yìqiān wǔbǎi duō nián qián, Zǔ Chōngzhī jiù bǎ yuánzhōulǜ jìsuàn dào sān diǎn yī sì yī wǔ jiǔ èr liù dào sān diǎn yī sì yī wǔ jiǔ èr qī zhījiān.
（4）1500 多 年 前，祖 冲之就把 圆周率计算到 3.1415926 到 3.1415927 之间。

Dào èr líng yī èr nián, Zhōngguó de wǎngmín yǐjīng dádào wǔ diǎn liù sì yì.
（5）到 2012 年，中国 的 网民已经达到 5.64 亿。

2. 根据图表回答问题。Answer the questions according to the graph below.

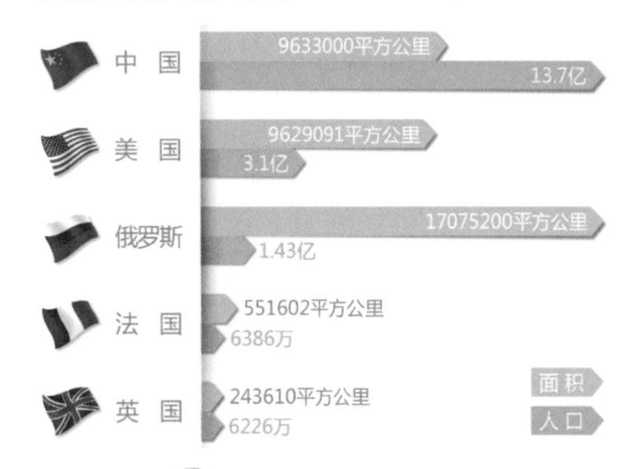

Zhōngguó miànjī duō dà? Yǒu duōshao rénkǒu?
（1）中国 面积多大？有 多少 人口？

Měiguó miànjī duō dà? Yǒu duōshao rénkǒu?
（2）美国 面积多大？有 多少 人口？

Éluósī miànjī duō dà? Yǒu duōshao rénkǒu?
（3）俄罗斯面积多大？有 多少 人口？

Fǎguó miànjī duō dà? Yǒu duōshao rénkǒu?
（4）法国面积多大？有 多少 人口？

Yīngguó miànjī duō dà? Yǒu duōshao rénkǒu?
（5）英国 面积多大？有 多少 人口？

（二）百分数 20-4

1. 朗读下列句子，画出百分数。Read the sentences aloud and underline the percentages.

Zài Zhōngguó, Hànzú rénkǒu zuì duō, zhàn quánguó zǒngrénkǒu de bǎi fēnzhī jiǔshí (bǎi fēnzhī jiǔshí) yǐshàng.
（1）在 中国，汉族人口最多，占 全国 总人口 的 90%（百分之九十）以上。

Bǎi fēnzhī sìshí de Zhōngguó wǎngmín yǒu wǎng shàng gòuwù de jīnglì.
（2）40% 的 中国 网民 有 网 上 购物的经历。

Dìqiú zǒng miànjī sān diǎn liù yì píngfāng gōnglǐ, bǎi fēnzhī qīshíyī shì hǎiyáng.
（3）地球 总 面积 3.6 亿平方 公里， 71% 是海洋。

Hànyǔ shì shìjiè shang shǐyòng rénkǒu zuì duō de yǔyán, shuō Hànyǔ de rén zhàn shìjiè rénkǒu de bǎi fēnzhī èrshísān.
（4）汉语是世界 上 使用 人口最多的语言，说 汉语的人 占世界人口的 23%。

Zhǐyào yǒu bǎi fēnzhī yī de xīwàng, jiù yào jìn bǎi fēnzhī bǎi de nǔlì.
（5）只要 有 百分之一的希望，就要尽百分之百的努力。

2. 下面的图表是世界上第一语言使用人数的统计结果，根据图表回答问题。The following is a pie chart illustrating the percentages of the world's population who speak the following languages as their first language. Answer the questions according to the chart.

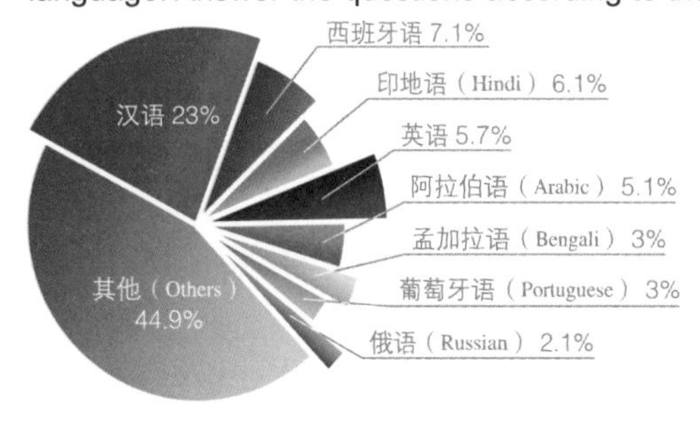

Shuō Hànyǔ de rén zhàn shìjiè rénkǒu de duōshao?
（1）说 汉语的人 占世界人口的 多少？

Shuō Xībānyáyǔ de rén zhàn shìjiè rénkǒu de duōshao?
（2）说 西班牙语的人 占世界人口的 多少？

Shuō Yīngyǔ de rén zhàn shìjiè rénkǒu de duōshao?
（3）说 英语的人 占世界人口的 多少？

Shuō Ālābóyǔ de rén zhàn shìjiè rénkǒu de duōshao?
（4）说 阿拉伯语的人 占世界人口的 多少？

Supplementary new words 扩展生词   20-5

1. 圆周率	yuánzhōulǜ	n.	pi (π), ratio of the circumference of a circle to its diameter	6. 海洋	hǎiyáng	n.	sea, ocean
2. 计算	jìsuàn	v.	to count, to calculate	7. 使用	shǐyòng	v.	to use, to employ
3. 之间	zhījiān	n.	between, among	8. 只要	zhǐyào	conj.	to use, to employ
4. 网民	wǎngmín	n.	netizen, cyber citizen	9. 尽	jìn	v.	to try one's best, to do all one can
5. 经历	jīnglì	n.	experience (*countable*)	10. 努力	nǔlì	v.	to make efforts, to exert oneself

Proper nouns 专有名词

1. 青岛 Qīngdǎo Qingdao, a city in Shandong Province
2. 胶州湾 Jiāozhōu Wān Jiaozhou Bay, a sea gulf located in Qingdao
3. 祖冲之 Zǔ Chōngzhī Zu Chongzhi or Tsu Ch'ung-chih (429–500), a prominent Chinese mathematician and astronomer

7 Vocabulary and Chinese characters 学习词汇和汉字

1. 朗读下列词语，然后把它们填到图中相应的位置。Read the words aloud and then find the right position for each of them.

a. 北京 Běijīng　b. 杭州 Hángzhōu　c. 上海 Shànghǎi　d. 西安 Xī'ān

e. 香港 Xiānggǎng　f. 天津 Tiānjīn　g. 青岛 Qīngdǎo　h. 黄　河 Huáng Hé

i. 长　江 Cháng Jiāng　j. 珠穆朗玛峰 Zhūmùlǎngmǎ Fēng

1 — a
2 —
3 —
4 —
5 —
6 —
7 —
8 —
9 —
10 —

2. 用上面的词语问答。
Ask and answer questions using the words above.

Example:（1）A: 你去过哪儿？ Nǐ qùguo nǎr?
B: 我去过北京。 Wǒ qùguo Běijīng.
（2）A: 你喜欢哪儿？ Nǐ xǐhuan nǎr?
B: 我喜欢 长　江。 Wǒ xǐhuan Cháng Jiāng.

3. 朗读下列常用汉字，并组词。Read the common characters below and make words with them.  20-6

jiě 解	shuǐ 水	míng 名	zhēn 真	lùn 论	chù 处	zǒu 走	yì 义	gè 各	rù 入
jī/jǐ 几	kǒu 口	rèn 认	tiáo 条	píng 平	jì/xì 系	qì 气	tí 题	huó 活	ěr 尔
gèng 更	bié 别	dǎ 打	nǚ 女	biàn 变	sì 四	shén 神	zǒng 总	hé 何	diàn 电
shù 数	ān 安	shǎo 少	bào 报	cái 才	jié 结	fǎn 反	shòu 受	mù 目	tài 太
liáng/liàng 量	zài 再	gǎn 感	jiàn 建	wù 务	zuò 做	jiē 接	bì 必	chǎng 场	jiàn 件

8 Communicative activities 交际活动

1. 跟同伴编一段介绍中国的对话（8－10句）。Work in pairs to make up a conversation with 8-10 sentences to give a brief introduction to China（8－10 sentences）.
2. 说说你知道的中国人、中国事。Talk about the Chinese people you know or the things you know about China.

繁体课文

Texts in Complex Characters

第 1 課 第一次上路

借助生詞表，快速瀏覽課文後回答問題：警察對“我”說了什麽？

今天我第一次開車上路，既緊張又興奮。

到了一個路口，紅燈亮了，我把車停了下來。過了一會兒，綠燈亮了，可是我的車熄火了。

又過了一會兒，綠燈變成了黄燈，黄燈又變成了紅燈，我的車還是動不了。

這個時候一位警察走過來，說：“小姐，你還没有等到你喜歡的顏色嗎？”

第 2 課 您找我有事兒嗎

借助生詞表，快速瀏覽課文後回答問題：江日新跟司機吵架了嗎？

一輛公共汽車在馬路上行駛。江日新坐在後面，戴着耳機，聽着音樂，望着窗外的風景。

突然一個急刹車，江日新一下子撲到了前面，倒在司機旁邊。

車停了下來，他爬起來看着司機。大家都以為，他要跟司機吵一架。没想到，江日新卻笑了笑，對司機說：“師傅，您找我有事兒嗎？”

第 3 課 一片綠葉

借助生詞表，快速瀏覽課文後回答問題：女孩兒活了下來嗎？

有個女孩兒得了重病，她每天望着窗外的一棵大樹。

秋天來了，樹葉一片片落了下來。她很傷心：“樹葉掉光了，我的生命也就結束了。”

一位老畫家知道了女孩兒的心思，決定幫助她，就畫了一片綠葉，掛在樹上。

冬天到了，這片綠葉一直留在樹上。因爲這片綠葉，女孩兒奇跡般地活了下來。

第 4 課 影子

借助生詞表，快速瀏覽課文後回答問題：李大朋認識小男孩兒嗎？

李大朋是一位中學體育老師，他的身材又高又大。

一個夏天的中午，天氣非常熱。李大朋下課以後，覺得又渴又累，就去超市買礦泉水。

李大朋走在半路上，突然發現一個小男孩兒一直跟着他。他感到很奇怪，問：“小朋友，你怎麽老跟着我呀？”小男孩兒說：“太熱了，我覺得在你的影子下面涼快。”

第 5 課 畫像

借助生詞表，快速瀏覽課文後回答問題：年輕人請求科學家什麽？

有一位科學家從來不讓人爲自己畫像。但是有一次，他改變了態度。

有一天，一位年輕的畫家請求爲他畫像，科學家說：“對不起，我没有時間。”“先生，我非常需要賣這幅畫兒的錢！”年輕人誠懇地說。“哦，那就是另外一回事了。”

科學家馬上坐了下來，微笑着說：“年輕人，開始吧。”

第 6 課 想哭就哭吧

借助生詞表，快速瀏覽課文後回答問題：爲什麽女人的平均壽命比男人長？

女人的平均壽命比男人長，愛哭也是一個原因。

人在傷心的時候，身體裡會產生一些有害物質，眼淚可以清除這些物質。傷心的時候，如果忍着不哭，身體裡的有害物質不能被清除，就會影響身體健康。

所以，傷心的時候，想哭就哭吧。不過，哭最好不要超過15分鐘，時間太長反而對身體不好。

第7課 照片是我照的

借助生詞表，快速瀏覽課文後回答問題：誰撿到了小張的照相機？

今天，小張去一家商店買東西，回到家才發現把照相機落在那兒了，於是就趕緊給商店打電話。店主說，有人撿到了照相機，讓他趕快去取。

小張取回照相機，發現照相機裡多了兩張照片。

一張照片是個女孩兒，手裡舉着一個牌子，上面寫着："照相機是我撿到的！"

另一張照片是個小夥子，手裡也舉着一個牌子，上面寫着："照片是我照的！"

第8課 采訪

借助生詞表，快速瀏覽課文後回答問題：錢鍾書寫的小説叫什麼名字？

錢鍾書是中國著名的作家。他的小説《圍城》非常有名，寫的是幾個年輕人的工作、生活和婚姻的故事，電視臺把它改編成了電視劇。

電視劇播出後，非常受歡迎。很多記者都想採訪他，但是都被他拒絕了。

一位記者問他為什麼拒絕採訪，他說："你吃了一個好吃的鷄蛋，一定要認識那只生蛋的母鷄嗎？"

第9課 袁隆平

借助生詞表，快速瀏覽課文後回答問題：袁隆平是一位什麼樣的科學家？

袁隆平是中國一位有名的科學家，他幾十年如一日地培育雜交水稻，被人們稱作"雜交水稻之父"。

1973年，袁隆平培育出的雜交水稻畝產量從300公斤提高到500公斤。2001年，畝產量提高到926公斤。

他培育出的水稻為中國增產了幾億噸糧食，並被美國、日本等100多個國家引進；每年增產的糧食可以解決世界上3500萬人的吃飯問題。

第10課 幸福像自助餐

借助生詞表，快速瀏覽課文後回答問題：人們覺得幸福是什麼？

幸福就像自助餐。

如果很多人一起去吃自助餐，每個人都會根據自己的愛好選東西，並根據自己的飯量放在各自的盤子裡，每個人盤子裡的菜都是不一樣的。

幸福也是這樣，每個人對幸福的理解不同，需求也不同。有的人在自己的盤子裡裝滿了錢，有的人裝滿了情感，有的人裝滿了成功的事業……

你的盤子裡裝的是什麼呢？

第11課 水星

借助生詞表，快速瀏覽課文後回答問題：水星上有什麼？

水星是太陽系八大行星之一。

水星非常小，跟地球相比，它只能算是個"小兄弟"。水星離太陽最近，表面溫差很大，太陽照到的地方溫度高達攝氏430度，照不到的地方卻只有攝氏零下170度。

水星表面有很多山，它們都是用世界著名的文學家、藝術家的名字命名的，其中有15個是用中國人的名字命名的，包括伯牙、李白、魯迅等。

第12課 送蠟燭

借助生詞表，快速瀏覽課文後回答問題：敲門的人是誰？

一個年輕女人剛搬到新家，晚上忽然

停電了。她找出蠟燭，正想點着，聽到有人敲門。

她打開門，原來是隔壁家的小女孩兒。

小女孩兒問："阿姨,您家有蠟燭嗎？"女人以為她是來借蠟燭的，心裡很不高興：我剛搬來你就來借東西。於是女人冷冰冰地說："没有！"

没想到小女孩兒卻得意地笑着說："我知道您家没有蠟燭，就給您送來了。"

第 13 課 賣扇子

借助生詞表，快速瀏覽課文後回答問題：從課文來看，王羲之的書法怎麽樣？

有一天，一位老奶奶在集市上賣扇子，過了好長時間也没有人買，她十分着急。

這時候走過來一個人，拿起扇子就在上面寫起字來。老奶奶很不高興，不讓他寫。這個人卻極其自信地說："您放心，寫了字保證就有人買了。"寫完他就走了。

果然，他剛走，人們立刻圍了上來，搶着買，扇子很快就賣光了。

原來，寫字的人是王羲之，他是中國古代最有名的書法家之一。

第 14 課 找聲音

借助生詞表，快速瀏覽課文後回答問題：丈夫在找什麽？

一對夫妻吵架之後，妻子好幾天都不跟丈夫說話。

這天，丈夫下班回家，一進屋就翻箱倒櫃地找東西。妻子覺得很奇怪，幾次想問都忍住了。

最後，丈夫把家里弄得亂七八糟的，妻子終於忍不住了，生氣地問："你到底要找什麽？"

丈夫高興地喊起來："我終於找到了！我要找的就是你的聲音！"

妻子笑了，兩人就和好了。

第 15 課 一封被退回來的信

借助生詞表，快速瀏覽課文後回答問題："我"的信爲什麽被退回來了？

昨天，我收到了一封被退回來的信。

我拿着信封，從收信人的郵政編碼到地址，再從寄信人的郵政編碼到地址，仔仔細細地看了兩遍，也没有發現什麽問題。

我正埋怨郵局的時候，突然看到貼郵票的地方，竟然是一張我自己的照片。

這時我突然想起，我準備寄信的時候，正忙着填寫考試報名表。貼照片的時候我覺得很奇怪：怎麽少了張照片呢？

第 16 課 汽車的顏色和安全

借助生詞表，快速瀏覽課文後回答問題：什麽顏色的車最安全？爲什麽？

研究發現，汽車的顏色和安全的關係很大。

白色和銀色最安全，紅色、藍色和綠色比較安全，黑色最不安全。這是因為，淺顏色讓人覺得車更寬、更大，比深顏色更能引起人們的注意。

另外，深顏色和道路環境的顏色接近，尤其傍晚和雨天，不容易被人看清楚，比較容易發生事故。

當然，行車安全，最重要的不是汽車的顏色，而是良好的開車習慣。

第 17 課 明天別來了

借助生詞表，快速瀏覽課文後回答問題：年輕人到底是做什麽工作的？

有一天，張老闆到工廠檢查工作，看見一個年輕人懶洋洋地靠在箱子上。張老闆不滿地問："你一周挣多少錢？"

"五百元。"年輕人奇怪地看着他。

張老闆拿出五百元錢，嚴肅地說："這是你一周的工資，明天你別來了。"年輕人收下錢就走了。

"他在咱們廠工作多長時間了？"張老闆問旁邊的工人。

"他不是咱們廠的，"工人小心翼翼地說，"他是來送快遞的。"

第18課 狗不理

借助生詞表，快速瀏覽課文後回答問題：人們爲什麼喜歡買"狗不理"包子？

天津的"狗不理"包子店已經有一百多年的歷史了。

傳說，店主叫高貴友，小名叫"狗子"。狗子做的包子又好吃又好看，還很便宜。

店裡的顧客太多了，他忙極了，只好讓顧客把錢放在桌子上，他根據錢數給包子。

因爲太忙，他没有時間跟顧客説話，人們就開玩笑説："狗子賣包子，誰都不理。"後來，他家的包子就被叫作"狗不理"了。

第19課 不敢説

借助生詞表，快速瀏覽課文後回答問題：小李去了幾次醫院？

小李嗓子疼，到醫院看病。大夫認真檢查後説："扁桃體發炎了，最好切除。"他聽了大夫的建議，做了手術，把扁桃體切掉了。

過了半年，小李肚子疼得受不了，又去找大夫。大夫説："盲腸發炎了，必須切除！"他聽了大夫的建議，把盲腸也切掉了。

又過了半年，小李又去找大夫。大夫問："你又怎麼了？"他小聲説："我不敢跟您説。""你到底怎麼了？""我……我頭疼！"

第20課 數字中國

借助生詞表，快速瀏覽課文後回答問題：中國的第一大河是什麼河？

中國在亞洲東部，陸地面積960萬平方公里。

長江是中國第一大河，世界第三大河，長6397公里。黄河是中國第二大河，世界第五大河，長5464公里。

珠穆朗瑪峰高8844.43米，是中國最高的山峰，也是世界最高的山峰。

到2010年11月1日，中國總人口達13.7億人。中國是多民族國家，有56個民族。漢族人口最多，占全國總人口的90%以上，珞巴族人口最少，還不到3000人。

生词表 Vocabulary

简体 Simplified form	繁体 Complex form	拼音 Pinyin	词性 Word type	课号 Lesson
A				
阿姨	阿姨	āyí	n.	12
爱	愛	ài	v.	1
安全	安全	ānquán	adj.	16
安装	安裝	ānzhuāng	v.	12
B				
般	般	bān	part.	3
搬	搬	bān	v.	12
搬家	搬家	bān jiā	v.	12
半路	半路	bànlù	n.	4
半天	半天	bàntiān	num.-cl.	12
傍晚	傍晚	bàngwǎn	n.	16
包括	包括	bāokuò	v.	11
保护	保護	bǎohù	v.	8
保证	保證	bǎozhèng	v.	13
报告	報告	bàogào	n.	13
报名	報名	bào míng	v.	15
报名表	報名表	bàomíngbiǎo	n.	15
必须	必須	bìxū	adv.	19
编码	編碼	biānmǎ	n.	15
扁桃体	扁桃體	biǎntáotǐ	n.	19
变	變	biàn	v.	1
变成	變成	biànchéng		1
表	表	biǎo	n.	15
表面	表面	biǎomiàn	n.	11
表明	表明	biǎomíng	v.	16
表演	表演	biǎoyǎn	v.	5
别	別	bié	adv.	7
并	並	bìng	conj.	9
播出	播出	bōchū	v.	8
不必	不必	búbì	adv.	19
不错	不錯	búcuò	adj.	11
不但	不但	búdàn	conj.	6
不敢	不敢	bùgǎn	v.	19
不满	不滿	bùmǎn	adj.	17
不同	不同	bù tóng		10

简体 Simplified form	繁体 Complex form	拼音 Pinyin	词性 Word type	课号 Lesson
C				
才	才	cái	adv.	11
采访	采訪	cǎifǎng	v.	8
产量	產量	chǎnliàng	n.	9
产品	產品	chǎnpǐn	n.	10
产生	產生	chǎnshēng	v.	6
长	長	cháng	n.	20
厂	廠	chǎng	n.	17
超过	超過	chāoguò	v.	6
吵架	吵架	chǎo jià	v.	2
称作	稱作	chēngzuò	v.	9
成	成	chéng	v.	1
成功	成功	chénggōng	adj.	10
诚恳	誠懇	chéngkěn	adj.	5
出差	出差	chū chāi	v.	1
出门	出門	chū mén	v.	17
传说	傳說	chuánshuō	v.	18
窗外	窗外	chuāng wài		2
从	從	cóng	prep.	9
从来	從來	cónglái	adv.	5
粗心	粗心	cūxīn	adj.	15
D				
达	達	dá	v.	11
打扮	打扮	dǎban	v.	8
打招呼	打招呼	dǎ zhāohu		19
大自然	大自然	dàzìrán	n.	16
戴	戴	dài	v.	2
导游	導游	dǎoyóu	n.	15
倒	倒	dǎo	v.	2
到底	到底	dàodǐ	adv.	14
道路	道路	dàolù	n.	16
得病	得病	dé bìng	v.	3
得意	得意	déyì	adj.	12
地	地	de	part.	2
灯	燈	dēng	n.	1
登机	登機	dēngjī	v.	19

简体 Simplified form	繁体 Complex form	拼音 Pinyin	词性 Word type	课号 Lesson
等	等	děng	v.	1
地理	地理	dìlǐ	n.	10
地球	地球	dìqiú	n.	11
地址	地址	dìzhǐ	n.	3
点	點	diǎn	v.	12
点菜	點菜	diǎn cài	v.	13
电	電	diàn	n.	12
电视剧	電視劇	diànshìjù	n.	8
店	店	diàn	n.	18
店主	店主	diànzhǔ	n.	7
调查	調查	diàochá	v.	18
掉	掉	diào	v.	3
东部	東部	dōngbù	n.	20
动	動	dòng	v.	1
动不了	動不了	dòng bu liǎo		1
读书报告	讀書報告	dú shū bàogào		13
端	端	duān	v.	13
对	對	duì	v.	2
			prep.	10
			m.	14
对……来说	對……來說	duì……lái shuō		16
吨	噸	dūn	m.	9
多	多	duō	v.	7
多民族	多民族	duōmínzú		20

E

简体	繁体	拼音	词性	课号
饿	餓	è	adj.	4
而是	而是	ér shì		16
耳机	耳機	ěrjī	n.	2

F

简体	繁体	拼音	词性	课号
发生	發生	fāshēng	v.	16
发现	發現	fāxiàn	v.	4
发炎	發炎	fāyán	v.	19
法律	法律	fǎlǜ	n.	19
翻箱倒柜	翻箱倒櫃	fān xiāng dǎo guì		14
翻译	翻譯	fānyì	v.	8
反而	反而	fǎn'ér	adv.	6
饭量	飯量	fànliàng	n.	10
房价	房價	fángjià	n.	6
放弃	放棄	fàngqì	v.	5
放心	放心	fàng xīn	v.	13
费九牛二虎之力	費九牛二虎之力	fèi jiǔ niú èr hǔ zhī lì		3
分手	分手	fēn shǒu	v.	18
份	份	fèn	m.	5
丰盛	豐盛	fēngshèng	adj.	9
风景	風景	fēngjǐng	n.	2
封	封	fēng	m.	15
夫妻	夫妻	fūqī	n.	14
幅	幅	fú	m.	5
父	父	fù	n.	9
复杂	復雜	fùzá	adj.	19

G

简体	繁体	拼音	词性	课号
改编	改編	gǎibiān	v.	8
改变	改變	gǎibiàn	v.	5
干燥	乾燥	gānzào	adj.	18
赶紧	趕緊	gǎnjǐn	adv.	7
赶快	趕快	gǎnkuài	adv.	7
赶上	趕上	gǎnshang	v.	18
感到	感到	gǎndào	v.	4
感兴趣	感興趣	gǎn xìngqù		10
高	高	gāo	n.	20
隔壁	隔壁	gébì	n.	12
各自	各自	gèzì	pron.	10
根据	根據	gēnjù	v.	10
跟	跟	gēn	v.	4
			prep.	19
工厂	工廠	gōngchǎng	n.	17
工人	工人	gōngrén	n.	17
工资	工資	gōngzī	n.	17
公里	公里	gōnglǐ	m.	20
功夫	功夫	gōngfu	n.	4

简体 Simplified form	繁体 Complex form	拼音 *Pinyin*	词性 Word type	课号 Lesson
古代	古代	gǔdài	n.	13
鼓掌	鼓掌	gǔ zhǎng	v.	13
顾客	顧客	gùkè	n.	18
拐弯	拐彎	guǎi wān	v.	14
关灯	關燈	guān dēng		17
关机	關機	guānjī	v.	12
关系	關係	guānxi	n.	16
观众	觀衆	guānzhòng	n.	13
光	光	guāng	adj.	3
广告	廣告	guǎnggào	n.	10
贵	貴	guì	adj.	4
国际	國際	guójì	n.	11
果然	果然	guǒrán	adv.	13

H

简体 Simplified form	繁体 Complex form	拼音 *Pinyin*	词性 Word type	课号 Lesson
海洋	海洋	hǎiyáng	n.	20
害怕	害怕	hàipà	v.	18
喊	喊	hǎn	v.	14
航班	航班	hángbān	n.	15
好	好	hǎo	adv.	13
好好儿	好好兒	hǎohāor	adv.	17
好几	好幾	hǎojǐ	num.	14
合影	合影	héyǐng	n.	5
和好	和好	héhǎo	v.	14
河	河	hé	n.	20
黑板	黑板	hēibǎn	n.	7
红灯	紅燈	hóngdēng	n.	1
后	後	hòu	n.	2
后来	後來	hòulái	n.	18
忽然	忽然	hūrán	adv.	12
画家	畫家	huàjiā	n.	3
画像	畫像	huà xiàng	v.	5
欢迎	歡迎	huānyíng	v.	8
黄灯	黃燈	huángdēng	n.	1
回	回	huí	m.	5
会议	會議	huìyì	n.	11
婚姻	婚姻	hūnyīn	n.	8

J

简体 Simplified form	繁体 Complex form	拼音 *Pinyin*	词性 Word type	课号 Lesson
及时	及時	jíshí	adv.	9
级	級	jí	m.	14
极其	極其	jíqí	adv.	13
急刹车	急刹車	jíshāchē		2
集市	集市	jíshì	n.	13
几	幾	jǐ	num.	8
几十年如一日	幾十年如一日	jǐ shí nián rú yí rì		9
计算	計算	jìsuàn	v.	20
系	繫	jì	v.	2
既……又……	既……又……	jì……yòu……		1
寄信	寄信	jì xìn		15
寄信人	寄信人	jìxìnrén		15
加班	加班	jiā bān	v.	7
加油	加油	jiā yóu	v.	5
家	家	jiā	m.	7
			n.	12
家人	家人	jiārén	n.	12
嘉宾	嘉賓	jiābīn	n.	3
甲骨文	甲骨文	jiǎgǔwén	n.	9
捡	撿	jiǎn	v.	7
检查工作	檢查工作	jiǎnchá gōngzuò		17
减肥	減肥	jiǎn féi	v.	19
简单	簡單	jiǎndān	adj.	14
建议	建議	jiànyì	n.	19
健康	健康	jiànkāng	n.	6
讲座	講座	jiǎngzuò	n.	12
叫作	叫作	jiàozuò	v.	18
教授	教授	jiàoshòu	n.	11
接近	接近	jiējìn	v.	16
接受	接受	jiēshòu	v.	17
结束	結束	jiéshù	v.	3
解决	解決	jiějué	v.	4
解释	解釋	jiěshì	v.	19
介绍	介紹	jièshào	v.	3

简体 Simplified form	繁体 Complex form	拼音 *Pinyin*	词性 Word type	课号 Lesson
紧张	緊張	jǐnzhāng	adj.	1
尽	盡	jìn	v.	20
经历	經歷	jīnglì	n.	20
经验	經驗	jīngyàn	n.	19
竟然	竟然	jìngrán	adv.	15
举	舉	jǔ	v.	7
句子	句子	jùzi	n.	7
拒绝	拒絕	jùjué	v.	8

K

简体 Simplified form	繁体 Complex form	拼音 *Pinyin*	词性 Word type	课号 Lesson
开玩笑	開玩笑	kāi wánxiào		18
看	看	kàn	v.	18
看病	看病	kàn bìng	v.	19
看法	看法	kànfǎ	n.	9
拷	拷	kǎo	v.	3
靠	靠	kào	v.	17
科学家	科學家	kēxuéjiā	n.	5
棵	棵	kē	m.	3
渴	渴	kě	adj.	4
肯定	肯定	kěndìng	adv.	17
哭	哭	kū	v.	6
苦	苦	kǔ	adj.	4
快	快	kuài	adv.	13
宽	寬	kuān	adj.	16
款式	款式	kuǎnshì	n.	13
矿泉水	礦泉水	kuàngquánshuǐ	n.	4

L

简体 Simplified form	繁体 Complex form	拼音 *Pinyin*	词性 Word type	课号 Lesson
落	落	là	v.	7
蜡烛	蠟燭	làzhú	n.	12
懒洋洋	懶洋洋	lǎnyángyáng	adj.	17
老	老	lǎo	adv.	4
老板	老闆	lǎobǎn	n.	17
老奶奶	老奶奶	lǎonǎinai	n.	13
老人	老人	lǎorén	n.	8
了解	了解	liǎojiě	v.	10
冷冰冰	冷冰冰	lěngbīngbīng	adj.	12
离	離	lí	v.	11
离开	離開	líkāi	v.	7
理	理	lǐ	v.	18
理解	理解	lǐjiě	v.	10
理想	理想	lǐxiǎng	n.	11
力气	力氣	lìqi	n.	2
厉害	厲害	lìhai	adj.	16
立刻	立刻	lìkè	adv.	13
连	連	lián	v.	10
良好	良好	liánghǎo	adj.	16
凉快	涼快	liángkuai	adj.	4
粮食	糧食	liángshi	n.	9
亮	亮	liàng	v.	1
邻居	鄰居	línjū	n.	7
领带	領帶	lǐngdài	n.	2
另	另	lìng	pron.	7
另外	另外	lìngwài	pron.	5
流行	流行	liúxíng	v.	13
陆地	陸地	lùdì	n.	20
录	錄	lù	v.	3
乱七八糟	亂七八糟	luànqībāzāo		14
落	落	luò	v.	3
旅行	旅行	lǚxíng	v.	10
绿灯	綠燈	lǜdēng	n.	1
绿叶	綠葉	lǜyè	n.	3

M

简体 Simplified form	繁体 Complex form	拼音 *Pinyin*	词性 Word type	课号 Lesson
马路	馬路	mǎlù	n.	2
埋怨	埋怨	mányuàn	v.	15
满	滿	mǎn	adj.	10
满意	滿意	mǎnyì	v.	10
慢慢	慢慢	mànmàn		10
忙	忙	máng	v.	15
盲肠	盲腸	mángcháng	n.	19
美	美	měi	adj.	16
门口	門口	ménkǒu	n.	7
门票	門票	ménpiào	n.	6
梦想	夢想	mèngxiǎng	n.	14

简体 Simplified form	繁体 Complex form	拼音 Pinyin	词性 Word type	课号 Lesson
米	米	mǐ	m.	20
民族	民族	mínzú	n.	20
名	名	míng	m.	13
明白	明白	míngbai	v.	14
命名	命名	mìng míng	v.	11
母鸡	母鷄	mǔjī	n.	8
亩	畝	mǔ	m.	9
亩产量	畝產量	mǔchǎnliàng		9
N				
男孩儿	男孩兒	nánháir	n.	4
男人	男人	nánrén	n.	6
难	難	nán	adj.	4
难过	難過	nánguò	adj.	17
年龄	年齡	niánlíng	n.	2
念	念	niàn	v.	8
弄	弄	nòng	v.	14
努力	努力	nǔlì	v.	20
女孩儿	女孩兒	nǚháir	n.	1
女人	女人	nǚrén	n.	6
P				
爬	爬	pá	v.	2
牌子	牌子	páizi	n.	7
培养	培養	péiyǎng	v.	8
培育	培育	péiyù	v.	9
赔钱	賠錢	péi qián	v.	6
片	片	piàn	m.	3
品味	品味	pǐnwèi	v.	10
平方公里	平方公里	píngfāng gōnglǐ		20
平均	平均	píngjūn	v.	6
破坏	破壞	pòhuài	v.	2
扑	撲	pū	v.	2
Q				
其中	其中	qízhōng	n.	11
奇怪	奇怪	qíguài	adj.	4
奇迹	奇跡	qíjì	n.	3
钱数	錢數	qiánshù		18
抢	搶	qiǎng	v.	13
敲门	敲門	qiāo mén	v.	12
桥	橋	qiáo	n.	10
切	切	qiē	v.	19
切除	切除	qiēchú	v.	19
清除	清除	qīngchú	v.	6
情感	情感	qínggǎn	n.	10
情况	情況	qíngkuàng	n.	17
请求	請求	qǐngqiú	v.	5
取	取	qǔ	v.	7
全	全	quán	adj.	20
全国	全國	quánguó		20
缺少	缺少	quēshǎo	v.	16
却	卻	què	adv.	2
R				
让	讓	ràng	v.	5
热闹	熱鬧	rènao	adj.	15
人口	人口	rénkǒu	n.	20
人们	人們	rénmen	n.	9
忍	忍	rěn	v.	6
认真	認真	rènzhēn	adj.	19
任务	任務	rènwu	n.	17
容易	容易	róngyì	adj.	9, 16
入口	入口	rùkǒu	n.	15
S				
沙漠	沙漠	shāmò	n.	4
山峰	山峰	shānfēng	n.	20
扇子	扇子	shànzi	n.	13
伤心	傷心	shāngxīn	adj.	3
上路	上路	shàng lù	v.	1
少	少	shǎo	v.	15
摄氏度	攝氏度	shèshìdù	n.	11
生	生	shēng	v.	8
生蛋	生蛋	shēng dàn		8

简体 Simplified form	繁体 Complex form	拼音 Pinyin	词性 Word type	课号 Lesson
生命	生命	shēngmìng	n.	3
生意	生意	shēngyi	n.	4
剩下	剩下	shèngxià		3
失败	失敗	shībài	v.	5
师傅	師傅	shīfu	n.	2
十分	十分	shífēn	adv.	13
实现	實現	shíxiàn	v.	14
实验	實驗	shíyàn	n.	5
使用	使用	shǐyòng	v.	20
事故	事故	shìgù	n.	16
事业	事業	shìyè	n.	10
适合	適合	shìhé	v.	6
收	收	shōu	v.	15
收费	收費	shōu fèi		6
收信	收信	shōu xìn		15
收信人	收信人	shōuxìnrén		15
手术	手術	shǒushù	n.	19
首	首	shǒu	m.	14
寿命	壽命	shòumìng	n.	6
受	受	shòu	v.	8
受不了	受不了	shòu bu liǎo		19
书法家	書法家	shūfǎjiā	n.	13
暑假	暑假	shǔjià	n.	1
树	樹	shù	n.	3
树叶	樹葉	shùyè	n.	3
数字	數字	shùzì	n.	20
帅	帥	shuài	adj.	18
双胞胎	雙胞胎	shuāngbāotāi	n.	12
水稻	水稻	shuǐdào	n.	9
水星	水星	shuǐxīng	n.	11
睡着	睡着	shuìzháo		14
说话	說話	shuō huà	v.	14
送	送	sòng	v.	8, 12
塑料袋	塑料袋	sùliàodài	n.	2
算是	算是	suànshì	v.	11
岁	歲	suì	n.	1
T				
台	臺	tái	m.	1
太阳系	太陽系	tàiyángxì	n.	11
态度	態度	tàidu	n.	5
提高	提高	tígāo	v.	9
体育	體育	tǐyù	n.	4
填写	填寫	tiánxiě	v.	15
贴	貼	tiē	v.	15
听说	聽說	tīngshuō	v.	5
听天由命	聽天由命	tīng tiān yóu mìng		18
停电	停電	tíng diàn	v.	12
挺	挺	tǐng	adv.	11
通过	通過	tōngguò	v.	14
通知	通知	tōngzhī	v.	13
童年	童年	tóngnián	n.	14
推迟	推遲	tuīchí	v.	18
退	退	tuì	v.	15
W				
外面	外面	wàimian	n.	15
完成	完成	wánchéng	v.	8
玩笑	玩笑	wánxiào	n.	18
晚会	晚會	wǎnhuì	n.	5
万	萬	wàn	num.	9
网络	網絡	wǎngluò	n.	9
网民	網民	wǎngmín	n.	20
望	望	wàng	v.	2
微笑	微笑	wēixiào	v.	5
围	圍	wéi	v.	13
为	為	wèi	prep.	5
温差	溫差	wēnchā	n.	11
温度	溫度	wēndù	n.	11
文件	文件	wénjiàn	n.	3
文学	文學	wénxué	n.	11
文学家	文學家	wénxuéjiā	n.	11
文章	文章	wénzhāng	n.	3
污染	污染	wūrǎn	v.	16

简体 Simplified form	繁体 Complex form	拼音 *Pinyin*	词性 Word type	课号 Lesson
屋	屋	wū	n.	14
无聊	無聊	wúliáo	adj.	4
物质	物質	wùzhì	n.	6
X				
西医	西醫	xīyī	n.	18
希望	希望	xīwàng	v.	10
熄火	熄火	xī huǒ	v.	1
现实	現實	xiànshí	n.	11
相比	相比	xiāng bǐ		11
香	香	xiāng	adj.	16
响	響	xiǎng	v.	13
项链	項鏈	xiàngliàn	n.	2
像	像	xiàng	v.	10
小伙子	小夥子	xiǎohuǒzi	n.	7
小名	小名	xiǎomíng	n.	18
小朋友	小朋友	xiǎopéngyǒu	n.	4
小声	小聲	xiǎo shēng		19
小说	小説	xiǎoshuō	n.	8
小心翼翼	小心翼翼	xiǎoxīn yìyì		17
笑	笑	xiào	v.	2
笑话	笑話	xiàohua	n.	12
心	心	xīn	n.	12
心思	心思	xīnsi	n.	3
心脏	心臟	xīnzàng	n.	16
新	新	xīn	adv.	19
信封	信封	xìnfēng	n.	15
行	行	xíng	adj.	8
行车	行車	xíngchē	v.	16
行驶	行駛	xíngshǐ	v.	2
行星	行星	xíngxīng	n.	11
醒	醒	xǐng	v.	14
兴奋	興奮	xīngfèn	adj.	1
幸福	幸福	xìngfú	n.	10
性格	性格	xìnggé	n.	5
兄弟	兄弟	xiōngdi	n.	11
需求	需求	xūqiú	n.	10
寻找	尋找	xúnzhǎo	v.	4
Y				
呀	呀	ya	part.	4
严肃	嚴肅	yánsù	adj.	17
严重	嚴重	yánzhòng	adj.	6
颜色	顏色	yánsè	n.	1
眼泪	眼淚	yǎnlèi	n.	6
演出	演出	yǎnchū	v.	16
样式	樣式	yàngshì	n.	15
邀请	邀請	yāoqǐng	v.	17
一会儿	一會兒	yíhuìr	num.-cl.	1
一下子	一下子	yíxiàzi	adv.	2
已经	已經	yǐjīng	adv.	18
以后	以後	yǐhòu	n.	4
以上	以上	yǐshàng	n.	20
以为	以爲	yǐwéi	v.	2
一些	一些	yìxiē	num.-cl.	6
亿	億	yì	num.	9
艺术	藝術	yìshù	n.	11
艺术家	藝術家	yìshùjiā	n.	11
意见	意見	yìjiàn	n.	6
音乐家	音樂家	yīnyuèjiā	n.	8
银色	銀色	yínsè	n.	16
引进	引進	yǐnjìn	v.	9
引起	引起	yǐnqǐ	v.	16
饮料	飲料	yǐnliào	n.	6
印象	印象	yìnxiàng	n.	15
应该	應該	yīnggāi	v.	2
迎	迎	yíng	v.	13
影响	影響	yǐngxiǎng	v.	6
影子	影子	yǐngzi	n.	4
幽默	幽默	yōumò	adj.	12
尤其	尤其	yóuqí	adv.	16
邮票	郵票	yóupiào	n.	15
邮政	郵政	yóuzhèng	n.	15
邮政编码	郵政編碼	yóuzhèng biānmǎ		15

简体 Simplified form	繁体 Complex form	拼音 Pinyin	词性 Word type	课号 Lesson
有	有	yǒu	v.	5
有的	有的	yǒude	pron.	10
有害	有害	yǒu hài		6
又	又	yòu	adv.	1
幼儿园	幼兒園	yòu'éryuán	n.	7
于是	於是	yúshì	conj.	7
愉快	愉快	yúkuài	adj.	17
雨天	雨天	yǔ tiān		16
语言	語言	yǔyán	n.	9
元	元	yuán	m.	17
原来	原來	yuánlái	adv.	12
原因	原因	yuányīn	n.	6
圆周率	圓周率	yuánzhōulǜ	n.	20
运动会	運動會	yùndònghuì	n.	18

Z

简体 Simplified form	繁体 Complex form	拼音 Pinyin	词性 Word type	课号 Lesson
杂交	雜交	zájiāo	v.	9
杂交水稻	雜交水稻	zájiāo shuǐdào		9
怎样	怎樣	zěnyàng	pron.	11
增产	增産	zēng chǎn	v.	9
占	佔	zhàn	v.	20
占线	佔綫	zhàn xiàn	v.	4
长	長	zhǎng	v.	12, 19
着	着	zháo	v.	12
着急	着急	zháojí	adj.	7
照	照	zhào	v.	11
照相机	照相機	zhàoxiàngjī	n.	7
这些	這些	zhèxiē	pron.	4
着	着	zhe	part.	2
珍珠	珍珠	zhēnzhū	n.	2
真正	真正	zhēnzhèng	adj.	11
正	正	zhèng	adv.	12
政治	政治	zhèngzhì	n.	1
挣	掙	zhèng	v.	17
之	之	zhī	part.	9
之父	之父	zhī fù		9
之后	之後	zhīhòu	n.	14
之间	之間	zhījiān	n.	20
之一	之一	zhī yī		11
只	只	zhī	m.	8
知道	知道	zhīdao	v.	3
只好	只好	zhǐhǎo	adv.	18
只要	只要	zhǐyào	conj.	20
治	治	zhì	v.	18
中国通	中國通	zhōngguótōng	n.	11
中心	中心	zhōngxīn	n.	1
中学	中學	zhōngxué	n.	4
中医	中醫	zhōngyī	n.	18
终于	終於	zhōngyú	adv.	14
种	種	zhòng	v.	7
重	重	zhòng	adj.	3
重要	重要	zhòngyào	adj.	7
周	周	zhōu	n.	17
主持人	主持人	zhǔchírén	n.	3
主意	主意	zhǔyi	n.	9
住院	住院	zhù yuàn	v.	12
注意	注意	zhùyì	v.	16
著名	著名	zhùmíng	adj.	8
赚钱	賺錢	zhuàn qián	v.	6
装	裝	zhuāng	v.	10
追	追	zhuī	v.	13
准确	準確	zhǔnquè	adj.	18
桌	桌	zhuō	n.	15
仔细	仔細	zǐxì	adj.	15
仔仔细细	仔仔細細	zǐzǐxìxì		9
自己	自己	zìjǐ	pron.	5
自然	自然	zìrán	n.	8
自信	自信	zìxìn	adj.	13
自助餐	自助餐	zìzhùcān	n.	10
总	總	zǒng	adj.	20
总人口	總人口	zǒngrénkǒu		20
最好	最好	zuìhǎo	adv.	6
最后	最後	zuìhòu	n.	14

简体 Simplified form	繁体 Complex form	拼音 *Pinyin*	词性 Word type	课号 Lesson
遵守	遵守	zūnshǒu	v.	19
作家	作家	zuòjiā	n.	8
做梦	做夢	zuò mèng	v.	10
做生意	做生意	zuò shēngyi		15

简体 Simplified form	繁体 Complex form	拼音 *Pinyin*	课号 Lesson
B			
伯牙	伯牙	Bó Yá	11
C			
长江	長江	Cháng Jiāng	20
G			
高贵友	高貴友	Gāo Guìyǒu	18
狗不理	狗不理	Gǒubùlǐ	18
狗子	狗子	Gǒuzi	18
国际会议中心	國際會議中心	Guójì Huìyì Zhōngxīn	11
H			
韩语	韓語	Hányǔ	1
汉族	漢族	Hànzú	20
黄河	黃河	Huáng Hé	20
J			
胶州湾	膠州灣	Jiāozhōu Wān	20
L			
李白	李白	Lǐ Bái	11
鲁迅	魯迅	Lǔ Xùn	11
珞巴族	珞巴族	Luòbāzú	20
Q			
钱锺书	錢鍾書	Qián Zhōngshū	8
青岛	青島	Qīngdǎo	20
R			
日本	日本	Rìběn	9
S			
圣诞老人	聖誕老人	Shèngdàn Lǎorén	8
T			
天津	天津	Tiānjīn	18
W			
王羲之	王羲之	Wáng Xīzhī	13
《围城》	《圍城》	Wéi Chéng	8
Y			
亚洲	亞洲	Yàzhōu	20
袁隆平	袁隆平	Yuán Lóngpíng	9
Z			
珠穆朗玛峰	珠穆朗瑪峰	Zhūmùlǎngmǎ Fēng	20
祖冲之	祖沖之	Zǔ Chōngzhī	20

图书在版编目(CIP)数据

新概念汉语课本.3/崔永华主编. — 北京：北京语言大学出版社，2013.7

ISBN 978-7-5619-3552-1

Ⅰ.①新… Ⅱ.①崔… Ⅲ.①汉语－对外汉语教学－教材 Ⅳ.①H195.4

中国版本图书馆CIP数据核字(2013)第143497号

书　　名：新概念汉语 课本3（XIN GAINIAN HANYU KEBEN 3）
艺术总监：张　静　　装帧设计：［美］Mila Ryk
排版制作：北京鑫联必升文化发展有限公司　　插图绘制：刘　谱
中文编辑：刘艳芬
英文编辑：侯晓娟
责任印制：姜正周

出版发行：北京语言大学出版社
社　　址：北京市海淀区学院路15号　　邮政编码：100083
网　　址：www.blcup.com
编 辑 部：8610-8230 3647/3592/3395
海外发行：8610-8230 0309/3651/3080
读者服务部：8610-8230 3653/3908
网上订购：8610-8230 3668　service@blcup.com
印　　刷：北京联兴盛业印刷股份有限公司
经　　销：全国新华书店
版　　次：2013年9月第1版　2013年9月第1次印刷
开　　本：889mm x 1194mm　1/16　印张：7
字　　数：229千字
书　　号：ISBN 978-7-5619-3552-1/H.13128
　　　　　08900

Printed in China